ChatGPT

ChatGPT Strategy Guide
for Non-Engineers.
Written by Tokoroten (NextInt Co., Ltd.)

攻略

なるほど、こう聞けばよかったのか！

Master prompt engineering to develop new ideas and methods,
and solve all your problems.

JN038610

対話型AIの○○説書。

株式会社 NextInt 代表
ところてん

KADOKAWA

本書を読む前に　Before Reading

・本書に掲載されているソフトやサービスの情報は執筆時点のものです。今後、ソフトやサービスの使用や、使用のための価格、また使用に関する法律的な取り扱いや、ソフト自体の仕様が変更される可能性があります。

・本書の発行以降に、ChatGPT やそれに関連するソフト、サービスの仕様が変更された際に、著者および出版社はその内容についてはお答えしかねます。

・本書に記載された方法に基づいて ChatGPT 等のソフト、サービスを利用することで生じた直接的または間接的損害については、著者および出版社は一切の責任を追わないものとします。

・ChatGPT やその他の AI の使用にあたっては、所属する組織・団体などに応じてその利用方針が可否が規定されている場合があります。その場合は必ず自分ないし自分の利用法が関係する組織・団体のガイドラインを確認・参照し、そこに抵触するような使用を行わないようにしてください。

・本書に登場する各種の製品名は、一般的に各社の登録商標または商標ですが、⑥ および ™ は省略しています。

以上のことをあらかじめご了承いただきますようお願いいたします。

ChatGPT 攻略
目次

第3章 | ChatGPT の使い方基礎編　　48

第4章 | ChatGPT の使い方応用編　117

ChatGPT 攻略

スタッフ

ブックデザイン監修◎丸岡純
DTP オペレーション◎森健晃
企画協力◎村上裕一

制作◎武田惟
営業◎桑木梨沙子
編集◎上村哲裕

本文中のアイコン

←**人のアイコン**
ChatGPT に入力する
文章

←**フキダシのアイコン**
ChatGPT からの返事

本書の使い方

　本書は全5章から成ります。必ずしも頭から読んでいく必要はありません。ニーズに合わせて下記のようなコースで読んで下さい。

　全くの初心者であり、この機会に手っ取り早く ChatGPT を体験してみたいという人は、第1章と第3章をパラパラとめくってください。第2章はスキップしても大丈夫です。

　ChatGPT を既に使っていて「攻略法」が知りたいんだ、という人は、第1章の最後、第2章の後半、第3章の前半、第4章、第5章の後半がおすすめです。

　第1章では ChatGPT とは何か、という基本的な解説と、ChatGPT のアカウント作成について書いています。この章の見どころは「ChatGPT はどういうキャラなのか?」です。ChatGPT を擬人化して考えることで、どのように ChatGPT と付き合っていけばよいのかが分かります。これが本書の「攻略法」の一つです。

　第2章では生成 AI に至るまでの歴史の話をしています。AI の発展の歴史と、今日の AI の産業利用の状況を踏まえ、なぜ生成 AI で世界中が大騒ぎをしているのかについて図解しています。この章の最後には、ホワイトカラーの仕事がなぜ AI によって奪われようとしているのかについて書いていますので、そこだけでも読んでいってください。

　第3章は ChatGPT の使い方基本編です。3章は前半後半に分かれており、前半には ChatGPT を使うためのコツが書かれています。特に「愚者は知識を問い、賢者は相談をする」は「攻略法」の一つです。ChatGPT を高く評価している人達は、どのように ChatGPT 使っているのかが書かれています。後半はホワイトカラーの一般的な仕事におけるユースケース集になっています。

　第4章は ChatGPT の使い方応用編です。企画職や研究開発職といった、高度な知的生産を行う人のための使い方が書かれています。高度な知的生産のためにはどのようなプロンプトを使えばよいのか、プラグインを活用して ChatGPT の欠点をどのように補うのか、といったことが書かれています。この章を読むことで、ChatGPT の将来性を感じ、数年後の働き方やビジネスを思い描くことができるでしょう。

　第5章は ChatGPT を通じてプログラミングに触れていきます。基本的なプログラミングの勉強から、かんたんなプログラムの作成、プログラムから ChatGPT の API 利用まで一気に解説しています。そして API の利用を通じて、ビジネスの現場にどうやって ChatGPT を組み込んでいくのかを紹介します。この章は「ビジネスで利用しているソフトウェアに生成 AI が組み込めそうだ」という肌感の確立を目的としています。この肌感があるかないかで、企画提案力には天と地ほどの差が出てきます。

第 1 章

ChatGPTとは

一躍有名になりメディアを騒がせた ChatGPT。
もう使ってる？
使ってないなら登録しなきゃ！

ChatGPT とは何か

ChatGPT は、2022年11月にアメリカの OpenAI 社が発表した、とても優秀な AI を搭載した Chatbot で、正式には "Chat Generative Pre-trained Transformer" と言います。「チャット形式で（回答を）生成可能な、事前学習されたトランスフォーマー」ということです。

ChatGPT は生成 AI（Generative AI）とも言われます。AI（Artificial Intelligence）は人工知能のことですが、何がこれまでの AI と違うのでしょうか。詳しくは第2章に譲りますが、ChatGPT は中に入っている AI が、これまでのものとは全く違います。

ChatGPT の中に入っている AI は、GPT-3.5、ないしは GPT-4と呼ばれているものです。これは、大規模言語モデル（LLM：Large Language Model）をベースにしたものです。この本当に膨大なパラメーターを背景にすることで、GPT-3.5や GPT-4は、まるで人間のように受け答えをすることが可能になりました。

と同時に、GPT-3.5だけでは革新的ではなかったかもしれない、ということを述べておきます。もちろんこの AI だけでも革新的だったのですが、本当にすごかったのは、これを Chat 形式にして、ChatGPT として世に出したところです。

前バージョンの GPT-3や GPT-2は、2019年頃から利用可能な状態にあり、エンジニア界隈では「これは新しいプログラミングパラダイムである」と話題になっていました。しかし、それはあくまでも業界内での話題に過ぎませんでした。つまり、空前絶後の優秀な AI を生み出したとしても、一般人が使いやすいインターフェースでなければ、話題になることはなかったのです。

多くの人は、まるで ChatGPT がまるで最初からその形式で生まれたかのように思うかもしれないですが、この形になったのは試行錯誤の結果であり、決して自明なことではありませんでした。そして、高性能な AI とチャット形式のインターフェースの組み合わせが革新的だったからこそ、エンジニアや研究者の界隈を飛び越え、世界を席巻するようなインパクト

が生まれました。

　ChatGPT の性能を限界まで引き出して使うことは難しいですが、使ってみることは簡単です。サービスのサイトにアクセスし、質問をしてみればいいのです。なんなら、質問でなくても結構です。こんなことを言ってみましょうか。

気分よく、今日という一日を始めたいなあ。

素晴らしいですね！一日の始まりにポジティブな気持ちを持つことは、その日を有意義に過ごすためにとても大切です。以下は、一日を気分よくスタートするための簡単なアイディアです。

感謝の気持ちを持つ：目を覚ました瞬間、新しい一日が始まることに感謝する気持ちを持つと良いです。小さなことでも感謝すると、気分が明るくなります。

ストレッチ：体を軽く動かして血流を良くしましょう。これによりエネルギーが増し、心地よく一日を始めることができます。

好きな音楽を聴く：お気に入りの音楽を聴くことで、気分を盛り上げることができます。

バランスの良い朝食：栄養バランスの取れた朝食を摂ると、体が活動しやすくなります。

日の計画を立てる：一日の目標を決めると、意欲が湧いてきます。リストには大きな目標だけでなく、小さな達成可能な目標も含めると良いです。

自分を励ます言葉を言う：ポジティブな言葉を使って、自分自身を励ましましょう。これが自分に自信を持たせ、前向きな気持ちにさせてくれます。

自然の中で過ごす：可能であれば、外に出て新鮮な空気を

吸うか、窓を開けて自然の音を聞くのも良い方法です。

一日の始まりを大切にし、自分自身を大事にしてください。
素敵な一日をお過ごしください！

こんな雑な質問にも ChatGPT は付き合ってくれます。

まずはこのような感じで使ってみればよいのです。

この本を手にとるからには、あなたも ChatGPT に興味を持っていることだとは思いますが、実際のところどう使ったらいいか、そしてそれをどんな風に使いこなしたらいいか——で悩んでいたりしたのだと思います。

本書を読んで、楽しく ChatGPT との付き合い方を学び、そして人よりも一歩進んだ使い方を学ぶ——「攻略」を行っていきましょう。

次のページへ

登録の仕方

　ChatGPT を使ってみるまでのプロセスは簡単です。

　まず https://openai.com/chatgpt にアクセスし、Try on web をクリックします。

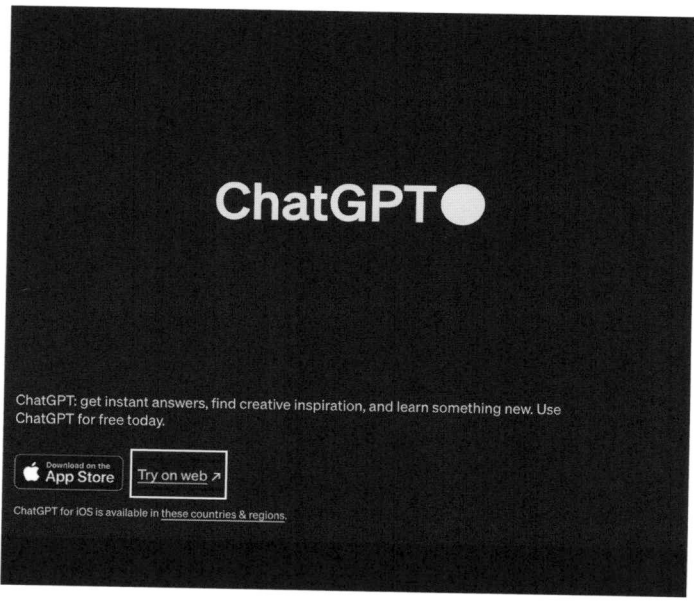

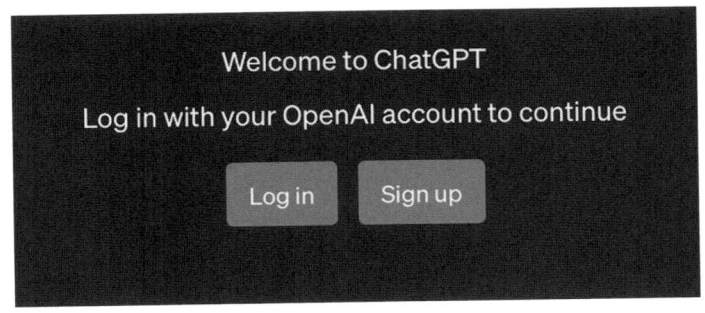

するとログインかサインアップを要求されます。

すでに登録済の場合は Log in、未登録の場合は Sign up に進みます。

Sign up を選ぶとアカウントの作成を求められます。

Google や Microsoft、Apple のアカウントを持ってる場合は、それを連携して利用することができるため、シングルサインオンで簡単にアカウント登録が可能です。筆者は Google アカウントと連携しています。

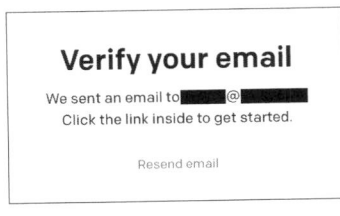
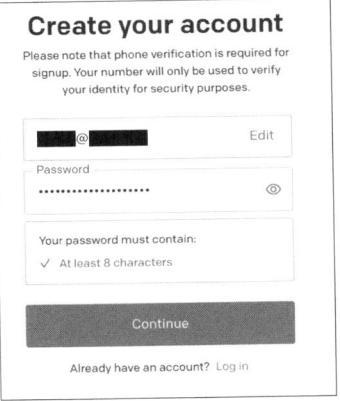

新規にメールアドレスで登録する場合はこのような画面になりますので、自分のメールアドレスを入力し、新たに8文字以上のパスワードを設定し

て入力します。それが済んだら Continue を押しましょう。

　これは認証のためのメールを送ったということですので、入力したメールアドレスを確認してみましょう。

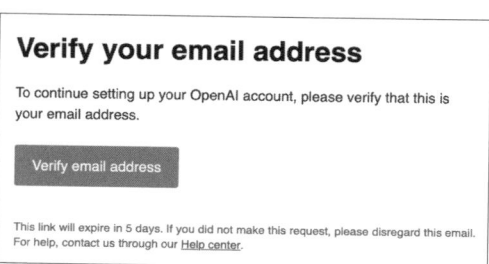

　このような連絡が届いていましたので、Verify email address というボタンを押します。

　Verify email address を押すと、ChatGPT に有効なメールアドレスを入力したという連絡が飛び、サインアップのプロセスが進行します。

　個人情報の登録画面に移ります。

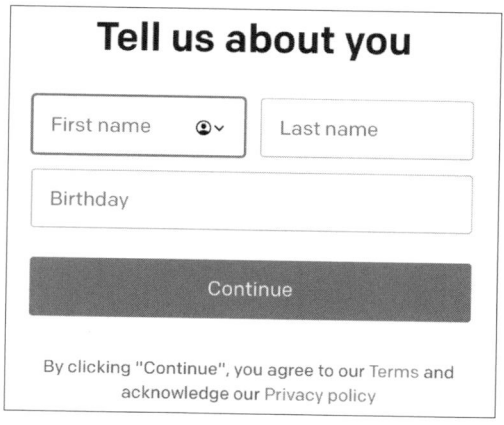

　個人情報の登録画面に移ります。

　誕生日については、日／月／年の順番で入力します。

電話番号入力の画面が登場しますので、携帯電話番号（SMS が受けとれるもの）を入力します。

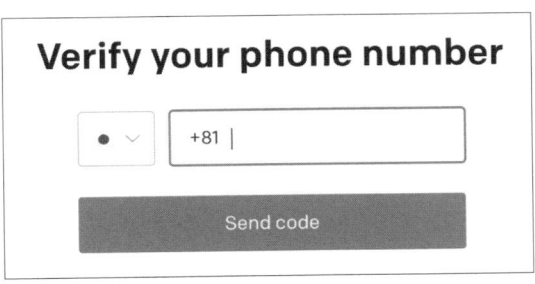

　電話番号を入力すると、SMS で認証コードが届きます。

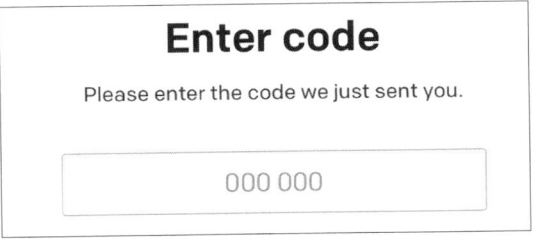

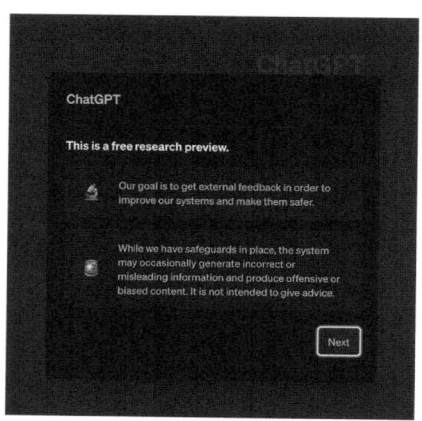

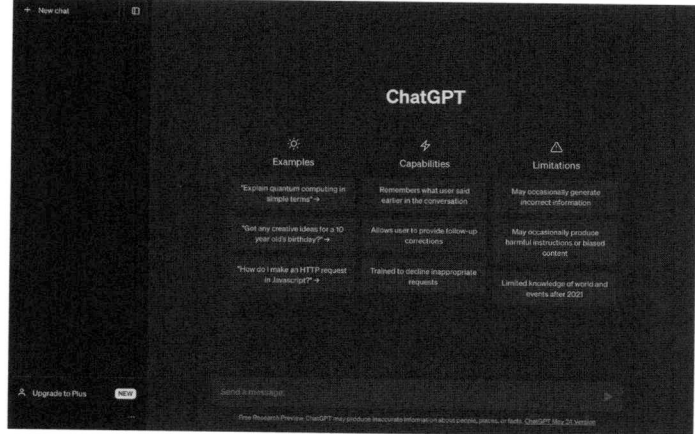

　認証コードを入力すると登録完了！

　最初に表示される注意書きは Next を押せば進みますが、しっかり内容
も読みましょう。

　これで晴れて ChatGPT が使用可能になります。

GPT の 2 つのモデル

　ChatGPT は、使ってみるだけなら簡単です。左上の New chat ボタンをクリックすると、新しいチャット画面が開きます。すると画面下部に「Send a message.」と書かれたフォームが表示されますので、そこに言いたいことや聞きたいことを書き込んでみてください（デフォルトの状態でも表示は同じになっています）。

　なお、ChatGPT は無料で使用可能ですが、無料で使用可能なモデル（アルゴリズム）は GPT-3.5のみとなっています。モデルは、機械学習の文脈では、アルゴリズムや、学習済みのアルゴリズムを意味します。

　Upgrade to Plus という欄から申し込み可能な、月額20ドル（2023年6月現在）の費用が発生する ChatGPT Plus を利用すると、GPT-3.5を使用した際のレスポンスの反応がよくなるなどの運用上の特典のほかに、GPT-3.5よりも高性能なモデルである GPT-4を利用できるという巨大な違いが生じます。

　GPT-3.5でもかなり色々なことができますが、GPT-4はそれを圧倒的に超えるパフォーマンスを発揮しますので、ぜひ有料プランの利用をご検討ください。細かくどんなところが優れているのかを説明したいところですが、「GPT-4の方がとにかく全てよい」と思ってください。

　本書での記述も、基本的には GPT-4の利用を前提といたします。GPT-3.5を利用する場合には都度明記いたします。

　また2023年の6月から、iOS 向けのスマートフォンアプリ版 ChatGPT が提供されています。ChatGPT を携帯する便利さがあるので、iPhone を利用している方はぜひ導入してみてください。

　Android 向けの配信も予定されているようですが、いずれのスマートフォンであってもブラウザから登録やログインをすれば、ChatGPT の使用は可能です。

　なお、ChatGPT の名前を勝手に使っている非公式のアプリケーションを利用することは、特別に取り上げるような一部サービスを除いて、本書ではお勧めしません。

ChatGPT 使用上の注意

ChatGPT を使用する上での道義的な注意点と、うまく利用するための注意点を述べます。

・個人情報や機密情報を入力しない

ChatGPT は入力事項を AI の学習に利用するとされています。このため、個人情報や機密情報を入力すると流出に繋がります。業務で使用する場合にもかならず所属先の指針に従い、責任が負えない流出につながる情報入力は避けましょう。

・うそをつくことがある

追って詳しく述べますが、生成 AI は、与えられた文に対して「もっともらしい」文章を継ぎ足す、という仕組みです。このため、とりわけ最近の知識に関する質問をすると、平気で「もっともらしい」嘘回答を返してきます。これをハルシネーションと言います。また、知識だけでなく、論理的な返答に関しても間違っている可能性があります。

2023年5月、アメリカの弁護士が ChatGPT を使って裁判資料を作ったことで問題になりました。なんと、存在しない判例をもとに資料が作られていたのです。

このような回答に ChatGPT は責任を負わないため、内容の検証や利用にあたっての責任はすべて利用者が負うことになります。とはいえ、内容が検証できれば問題ないですし、叩き台として利用するのには非常に有用ですから、使い方が非常に大切です。

・正しくても保証にはならない

ところで、もし上記のアメリカの弁護士の裁判資料に含まれていた判例がたまたま正しかったとしたら、どうでしょうか？ 何も問題がなかったと言えるのでしょうか？ もちろん、そうは行きませんよね。

我々は ChatGPT に法律や医療の質問をすることが可能ですし、妥当な回答が帰ってくる可能性もあります。しかし、それは誰も責任を負っていない情報であり、あたかも弁護士や医者に相談したかのようにその情報を

扱うのは非常に危険です。

　また、期せずして、ChatGPT が危険な回答を返してくることもあります。ChatGPT はその運営ポリシーとして、反社会的な利用を禁じていますので、なるべくそういった回答が起こらないようにチューニングもしています。しかし、無数の利用機会の中では（インターネットの中に危険な情報が転がっているように）そういう返事が返ってくる可能性は十分にあります。一般的な道徳感覚や法規範、それから所属コミュニティのルールにもとづき、情報を扱うようにしてください。

・知識は2021年まで

　ChatGPT はハルシネーションを行いますが、常に嘘をつくわけではなく、もちろん正しいことも答えます。そのときにもとにしている知識のデータベースは、2021年までのこととされています。よって、2021年以降のことはわからないという前提に立って利用しましょう（ChatGPT 自身が、わからないことはわからないと答えてくれる場合もあります）。

　ただし、連携機能でブラウザを利用するなどができるようになりました。検索先が正しいかどうかを検証する必要性がありますが、最新の情報にアクセスして回答を生成することも、ある程度可能になってきました。

ChatGPT はどういうキャラなのか？

ChatGPT に個人情報を入力するな、ChatGPT のウソに気を付けろ、など様々な注意点を書きましたが、それでは ChatGPT は何ができるのでしょうか。ChatGPT は何が凄いのでしょうか。ChatGPT はどういうキャラなのでしょうか。

ChatGPT というのは、とても物知りで、忍耐強く、こちらに寄り添ってくれて、ちょっとポンコツなところがあるけれど、言葉を使う仕事に関してはめちゃくちゃ優秀で、けれど現実の肉体を持っていない、絶対に主体的な行動を取らない究極の指示待ち体質な──話し相手です。

ChatGPT をそのようなキャラだと仮定して付き合うことが、ChatGPT の「攻略法」の第一歩です。

ChatGPT はとても物知りです。学習元は数ペタバイトにもなるインターネット上のウェブページです。それらのウェブページから学習した結果、「ChatGPT は一般常識を持っている」といってもいいレベルにまで到達しました。

ChatGPT はソフトウェアです。人間ではありません。疲れるとか飽きるといった概念はありません。ソフトウェアの忍耐力は無限大です。人間相手に同じような質問を何回もするやつは、無能の烙印を押されても仕方ありません。ソフトウェア相手に同じような質問を何回もしても、恥ではないのです。つまり、根気よく何回も質問できる人が、ChatGPT をよりうまく使えるのです。ChatGPT は変な回答をすることが良くあります。しかし一度や二度の失敗で諦めるのは、もったいないです。

ChatGPT は「次の言葉を予測する AI」です。この能力が発展していった結果、ChatGPT は論理的に文章を展開する能力や、人間の質問に対して寄り添うような共感力と言っても過言ではないような性格を持っています。困ったことがあったら雑な質問でもいいからしてみましょう。ChatGPT は空気を読んで、あなたに寄り添ったうえで、問題を分解し、解決の手立てを出力してくれるでしょう。

ChatGPT は現実の肉体を持ちません。あくまでもウェブサービスです。

テキストを入力すると、テキストが出力されるだけです。物理世界に対して何かの影響を与えることはできません。物理世界を操作するためには、あなた自身が動くか、現実に影響を及ぼせるようなソフトウェアとChatGPTを連携させることが求められます。

　ChatGPTは基本的に受け身です。あなたが積極的に話しかけない限り、ChatGPTは動いてくれません。与えた情報が足りなかったときには補って答えてくれますが、あくまでも常識に従って適当に補っているだけです。「情報が不足しているので答えられない」と主張してくることは稀で、基本的には常識に従った一般論を返してきます。そのため、あなたが回答に必要であろう適切な情報をあなたが与えない限り、よい返答は期待できないでしょう。

　ChatGPTは相談相手ですが、同じ職場で働く同僚ではありません。あなたとおなじコンテキストを共有していません。どのような文脈で質問しているのかを明確にしましょう。「回答に必要であろう適切な情報を与える」必要があるのです。そしてこのスキルは「仕事ができる」ということと等価です。

　ビジネスパーソンには、空気を読むスキルと、空気を読まないスキルの両方が要求されています。空気を読むスキルは人と仲良くなれます。そして仲良くなったことで、腹を割って本当の情報を教えてくれたり、雑談の過程で仕事のコツを教えてくれます。空気を読まないスキルはこれと同程度に大切です。足りない情報を、空気を読んで、一般論や自分の中の常識、思い込みで適当に補って仕事をしていると、いつか大失敗するのです。

　たとえば、あなたが工務店に勤めており、ビルの外壁塗装を依頼されたとしましょう。特に指示が無かったので白い外壁塗料を使いました。すると、施主は「俺はピンクが良かったのに！」と怒り出すかもしれません。仕事をしているとこういうトラブルは日常茶飯事です。あなたは打ち合わせの時に空気を読まずに「壁は何色にするんですか？」と聞くべきだったのです。施主は空気を読まずに「壁はピンクで塗ってくれ」と言うべきだったのです。勝手に補ったから仕事がうまく進むこともあれば、勝手に補ったことで大問題になることもあるのです。

　あなたは ChatGPT が出力した文章を読んで「このようなアウトプットになったのは、何の情報が足りてなかったからなのか」を推測しなくてはなりません。外壁塗装と違って ChatGPT はやり直しにお金はかかりません、何度でもやり直しましょう。ChatGPT はソフトウェアですから怒り出すことはありません。

　そして、ChatGPT と何度もやり取りをしているうちに、目的とするアウトプットのためにはどのような情報が必要なのか、というのが分かってきます。コンテキストを共有していない相手と一緒に仕事をするには、何が必要なのかが分かってくるのです。すなわち、ChatGPT をうまく使いこなした時、あなたは「仕事ができる」ようになっているのです。

　本書の裏ゴールは、「ChatGPT に対してどうしたら伝わるプロンプトを書くことができるか」を考えることを通じて、「仕事ができるやつ」になることです。

第 2 章

生成 AI の沿革

ChatGPT の登場や、それに先立つ画像生成 AI の隆盛によって、大きなトレンドとなっている "生成 AI"。この章では、生成 AI に至るまでの AI の歴史と、そもそも生成 AI がどういうものであり、どういう流れで今に至っているかを、ある程度情報を絞った形でわかりやすくまとめます。

第1次AIブーム

AIという言葉は、Artificial Intelligence、人工知能のことですが、これは1956年にアメリカのダートマス大学における会議（ダートマス会議）で誕生しました。これは、人間の知的な振る舞いを実現するソフトウェアのことであり、またその研究のことです。

そして1960年代に早くも訪れたのが第1次AIブームです。

ここでは、推論、探索、自然言語処理の技術などが提案されました。当時における推論や探索というものは、いわゆる迷路やパズルを解いたり、チェスを指すアルゴリズムのことでした。

ただし、この頃に解けた迷路やパズルは、問題としては、1960年代当時のコンピュータが解ける程度の小規模なものでした。チェスのようなゲームがそうであるように、ルールも勝利条件も厳密に決まっていて、駒などの動かし方に例外がなく、サイコロなどの確率が絡まない問題（確定完全情報ゲーム）ということです。このような限定された、小さな問題のみが解くことができたのです。

ところが、上記のような成功を背景に、当時の人々はAIが現実世界の問題を解くことにもすぐに役立つだろうと期待してしまいました。簡単な問題が解ければ、難しい問題はそのうち解けるだろうと楽観視していたのです。しかし、実際には当時のAIがすぐに成果を出すということはありませんでした。

現実世界の問題については、無数の前提条件があり、同じく無数のアプローチがあり、そして非公開の情報情報（麻雀やポーカーのように相手の手牌が見えないなど）があり、さらには行動の成否は確率で決定される（ウェブページに表示した広告がクリックされるかどうかなど）。こういった環境下で、行動を決定しなくてはならない、という条件があったのです。

こうして、当時の研究で解かれた内容と、現実世界の問題を解くことの間には大きな溝があることが徐々に明らかとなったのです。

そして、複雑な問題に当時のAIが対処できないことがわかっていった結果、この第一次AIブームは退潮し、1970年代はAI冬の時代となりました。これはAI技術が未成熟だった事情もありますが、この時代のコンピ

ュータの性能が足らず、十分に大きな問題を取り扱えなかった事情もあります。

　当時の研究用のスーパーコンピュータの Cray-1（1975）は、人の背丈ほどもある筐体であり、動作周波数は80MHz、メインメモリはわずか8メガバイトでした。ましてや民生品の Apple II（1977）は動作周波数は1MHz、メインメモリは最大でも64キロバイトでした。

　いま2023年に生きる我々が持っているスマートフォンなどの方が、少なく見積もっても一万倍は性能が良いです。たとえば iPhone14は CPU は6コアで3.2GHz で動作し、メインメモリは6GB です。

　以下の図は「AI ブーム」と「AI 冬の時代」がいつに起こったのか、を総務省が解説しているものです。ここから先はこの流れに従って解説していきます。

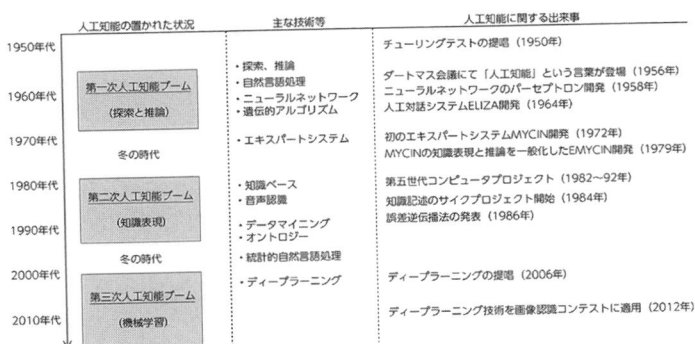

出典：「平成 28 年版情報通信白書」（総務省）
https://www.soumu.go.jp/johotsusintokei/whitepaper/ja/h28/html/nc142120.html
licensed under CC-BY 2.1 JP
http://creativecommons.org/licenses/by/2.1/jp/

第2次 AI ブーム

　1980年代に第2次 AI ブームがやってきます。

この頃になると、マイクロプロセッサーの普及により、コンピュータは部屋を一室占めるほど巨大なメインフレームから、卓上で使えるパーソナルコンピュータとなりました。これにより、一般の事業所に PC が普及し、多くの仕事が PC によって自動化される情報化時代が到来したのです。

技術面での特色としては、第 1 次 AI ブームの終わり頃に登場した、エキスパートシステムの発達があります。これは、AI が人間に質問をすることによって、問題の原因を特定し、解決を手助けしてくれるシステムです。

エキスパートシステムの具体的な事例としては、感染症診断システムの MYCIN（マイシン）というものがあります。 AI が患者に対して質問を行い、患者が質問に答えていくと、どのような感染症かがわかるということです。感染症が専門の医者の診断精度が80% のところ、MYCIN は65% ほどだったそうで、感染症が専門ではない医師が、診断のサポートに使うには十分な性能でした。しかし、MYCIN の診断結果は現実に使われることはありませんでした。それは、MYCIN が出した診断の責任を誰が取るのか？ということが問題になったのです。しかし MYCIN の有用性から「人間が持つ知識をどのように記述するべきなのか？」という知識工学という学問が発展してきました。

こういった技術を背景に、日本としても AI を研究していこうということで、1982年から日本初となる AI 研究プロジェクトとして「第 5 世代コンピュータ」の研究開発が進められるようになります。

しかしながら、人間世界の全ての物事を論理的に記述してあらかじめ用意しておくことはそもそも不可能だったこと、ルールや知識が矛盾した場合や例外への柔軟な対応ができなかったことなどにより、第二次 AI ブームは退潮を迎えます。

いわゆる「フレーム問題」もこの類の問題と言えます。人間の場合は曖昧な要求をされた際に、状況を制限する（フレーム、枠を設定する）ことができますが、AI はそれができません。そのため「コーラを買ってきて」というような簡単な問題を出されたとして、どの店で買うか、どの道を通って買うか、どの大きさのコーラを買うか、自分の目の前の地面は自分が

26

歩くことによって沈みこまないことが保証されているか、店の柱は十分な強度があり自分が入店した際に店が物理的に潰れないことが保証されているかなど、結果を実現する際に起こり得るあらゆる問題を無限に洗い出さなければならなくなってしまうからです。

その後、21世紀に入り、第3次 AI ブームが発生しました。このブームは令和の現代に至るまで継続しています。なぜ3回目の AI ブームが生じたかというと、AI が発展する条件が揃ったからなのです。その条件としては、「計算機の指数関数的性能向上、ムーアの法則」「クラウドの登場・大規模計算機の民主化」「インターネットによる情報流通量の増大」「AI とビジネスの結びつき」の4つが挙げられます。それぞれについて見ていきましょう。

計算機の指数関数的性能向上、ムーアの法則

まずは計算機・コンピュータの性能が大きく向上しました。当時フェアチャイルドセミコンダクターに勤めていたゴードン・ムーア(のちに Intel を創業)は「半導体集積回路の集積度は18カ月から24カ月で2倍になる」という現象を報告し、後にこれはムーアの法則と呼ばれるようになりました。これはざっくりと言ってしまうと、コンピュータの性能は2年で2倍になる、もしくは性能が同じでよければ2年で半額になる、ということなのです。

ムーアの法則を2年で2倍だとすると、4年で4倍、6年で8倍、8年で16倍、10年で32倍、20年で1024倍です。結果として、半導体集積回路の集積度は指数関数的に成長し、同時に指数関数的に価格下落しました。これが過去50年以上繰り返されたのです。そして、極めて高性能な半導体集積回路が極めて安い価格で手に入るようになったのです。

次の図は過去50年にわたる、コンピュータの CPU の進化です。縦軸に注目してください。これは片対数グラフです。片対数グラフの世界で、トランジスタ数(Transistors)は直線的に伸びています。すなわち指数関数的に成長しているのです。

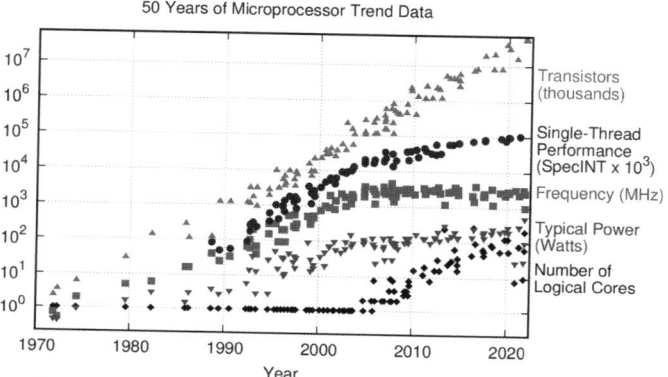

50 Years of Microprocessor Trend Data

(karlrupp 50 Years of Microprocessor Trend Data https://github.com/ karlrupp/microprocessor-trend-data / CC BY 4.0)

その結果、50年前のスーパーコンピュータの何万倍もの性能がある計算機（スマートフォン）を誰もがポケットに入れて持ち歩く時代になったのです。

クラウドの登場・大規模計算機の民主化

コンピュータの性能が向上したとはいえ、1台のコンピュータではそれほど大きなデータを処理できるわけではありません。多くのデータを処理するためには、コンピュータを複数利用した分散並列計算を行う必要があります。

2006年頃、当時 Google の CEO だったエリック・シュミットによって「クラウド」という概念が提唱されました。それが、コンピュータを自前で持つのではなくて、必要な時に必要な台数だけコンピュータをレンタルすればよいという発想です。同年には Amazon EC2 も登場しました。EC2 はプログラムから API を経由してコンピュータをレンタル、制御できることが特徴でした。加えて従量課金であるため、腕のいいプログラマ

ーはシステムの負荷が低いときはサーバの台数を減らす、システムが高負荷のときは追加で借りるということができたのです。分散並列計算や仮想化技術自体は1970年代からありましたが、多数のコンピュータをプログラムによってレンタルして制御するという発想は比較的最近生まれたのです。

　これにより、コンピュータのハードウェアの管理に専門の人員が必要ではなくなり、技術に秀でた人が求めるなら、何台でも、何千台でもコンピュータをレンタルすることができるようになり、1台の PC では取り扱えない量のデータ（例えば数ペタバイトや数エクサバイトといった量、1ペタはテラの1000倍、エクサはペタの1000倍）を処理することができるようになったのです。

　このころには Hadoop などの、大量のコンピュータを活用した分散処理基盤も登場しており、民間企業でも容易に多数のコンピュータによる計算基盤を持つことができるようになったのです。

インターネットによる情報流通量の増大

　AI の学習には大量のデータが必要です。人間のように流暢に話す AI であれば、人間が書いたテキストデータの収集が欠かせません。これが可能になったのはインターネットの発達、SNS の発達により、人々が毎日大量のテキスト、画像、ビデオをアップロードしているからなのです。そして、飛び交う「いいね」や「リツイート」、コメントにより、何が良いコンテンツなのかという情報がサービスプロバイダに集まっていきます。

　では、どれくらいのデータがサービスプロバイダに集まっているのでしょうか？　Facebook は2012年時点で、毎日0.5PB（Peta Bytes：1PB は1024テラバイト）以上のデータが増えているというレポートを出しています。Facebook は2012年当時は約8億人のユーザーがいたので、一人当たり一日に約600KB のデータを生み出していたことになります。書込みだけでなく、誰が何を見たのかという情報まで含めれば比較的妥当な数字ですし、むしろ少ないともいえます。今日では写真を1枚アップロードしたら数 MB は当たり前、動画であれば数 GB は当たり前です。

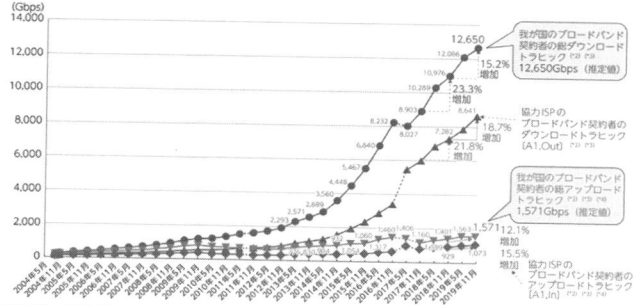

(*1) FTTH、DSL、CATV、FWA
(*2) 2011年5月以前は、一部の協力ISPとブロードバンドサービス契約者との間のトラヒックに携帯電話網との間の移動通信トラヒックの一部が含まれていたが、当該トラヒックを区別することが可能となったため、2011年11月より当該トラヒックを除く形でトラヒックの集計・試算を行うこととした。
(*3) 2017年5月より協力ISPが5社から9社に増加し、9社からの情報による集計値及び推定値としたため、不連続が生じている。
(*4) 2017年5月から11月までの期間に、協力事業者の一部において計測方法を見直したため、不連続が生じている。

出典：「我が国のインターネットにおけるトラヒックの集計結果（2019年
11月分）」（総務省）（https://www.soumu.go.jp/main_content/000671256.
pdf）

　インターネットのトラフィックは毎年増加しています。背景にはスマー
トフォンの普及、スマートフォンで撮影される写真や動画の高精細化とそ
の共有、SNSでの写真や動画の閲覧、ライブストリーミング配信やビデ
オオンデマンドの普及等があります。

　上記は日本のインターネットの通信量です。2019年時点で、ダウンロー
ドトラフィックは推計12600Gbps、毎秒約1.5TBのデータがダウンロード
されている計算になります。同様にアップロードトラフィックは、推計
1571Gbpsなので、毎秒約200GBのデータがインターネット上にアップロ
ードされている計算になります。これは見方を変えると、日本から毎秒
200GBの学習用のデータが公開されているとも言えます。

　もちろん、全てのデータが公開されているわけではなく、プライベート
で公開されないデータも多いでしょう。ここで大事なのは、インターネッ
ト上のデータ量は恐ろしい勢いで増えており、それがAIが学習するため
の糧となっていることです。

AIとビジネスの結びつき

そしてビジネスの話です。AIの改善がビジネスの要となる時代が来たのです。

例えばGoogleはAI技術によって巨人を打倒した企業と言えるでしょう。1999年に公開された検索エンジンのGoogleは、瞬く間に人気となりましたが、それ以前のインターネットの覇者はYahooだったのです。

当時のYahooはディレクトリ型検索と呼ばれ、Yahooに登録されたウェブサイトの中から検索できるという仕組みだったのです。数多あるウェブサイトのうちからYahooが厳選したサイトしか出てこない、そしてウェブサイトのコンテンツは検索されず、ウェブサイトのタイトルと説明文からしか検索されないのです。当時はこれが当たり前だったのです。そしてYahooは当時のインターネットを支配する巨大企業だったのです。

このインターネットの巨人をGoogleはAIによって打倒しました。Googleは自動的にインターネット上のウェブサイトを探索するウェブクローラーを用いて、人為的には作り得ないような膨大なデータベースを構築しました。そしてPageRankアルゴリズムにより、有用なページをうまくユーザーに返せるようになったのです。このユーザー体験がYahooよりも圧倒的に良かった、必要な情報がGoogleであればうまく探せたため、Yahooの顧客をGoogleは奪い取っていったのです。

ちなみに、PageRankアルゴリズムとは、多くの人が参照しているウェブサイトは有用だろうというヒューリスティックス（経験則）に基づいたアルゴリズムです。これは、良し悪しを判断するという意味で、ある種のAIと呼んでよいでしょう。つまり、AIの発達とビジネスが結びついたのです。

良いAIを作るとより儲けられる。売上高が1000億円あるような事業であれば、AI技術で売上が1％でも改善できたら10億円の売上増になる。そのためには数億円のAI技術の研究開発は費用対効果として成立する。現代はそういう時代になったのです。AIとビジネスが結びついた結果、AIへの投資は加速度的に増えていくことになります。

余談ですが、PageRank アルゴリズムは当時は有効でしたが現代ではもはや使われていません。度重なる評価アルゴリズムの変更により、現在では別の様々な指標を用いたものに置き換えられています。

第 3 次 AI ブーム、ディープラーニングの革命

　「計算機の指数関数的性能向上、ムーアの法則」「クラウドの登場・大規模計算機の民主化」「インターネットによる情報流通量の増大」「AI とビジネスの結びつき」の 4 つの前提条件が全て整いました。では、第 3 次AI ブームのキッカケは何だったのでしょうか？

　きっかけは2012年の画像認識のコンテストにおいて、ディープラーニングを用いたアルゴリズムが他のチームを圧倒したことに端を発しています。

　従来の画像認識では、人間が画像の特徴を上手く数式などで表現し、小さなデータに変換し、そのデータに対して機械学習を行い画像の分類を行う、という多段階のアプローチでした。そのため、前段の特徴の設計に多くのノウハウがあり、ある種の職人芸がモノをいう世界だったのです。

　これに対して、ディープラーニングは、画像の特徴の学習と分類を一つのアルゴリズムで行えるようになり、人間が頑張って特徴を設計する必要が無くなったのです。また、画像のような連続的なものも上手く取り扱えるようになりました。画像のあるピクセルと隣のピクセルはほとんど同じ色ですよね。こういうものが連続的なものです。画像や音声など物理的なものがうまく取り扱えるようになったのです。

　職人が不要、連続的な現実の問題が上手く取り扱える。これがディープラーニングアルゴリズムが普及する起爆剤だったのではないかと思います。

Transformer からGPTへ、AGIの萌芽

AI 技術の進歩は留まることを知りませんでした。2017年に Google から Transformer という新しいディープラーニングの技術が登場しました。Transformer を簡単に説明すると、周囲の要素と、周囲の要素をベクトル表現に変換したものの両方を利用して、次の要素を予測をするというものです。難しい表現なので、ざっくりと言ってしまうと、空気を読んで雰囲気で続く言葉を答えられるようになったということです。

もっと簡単に説明すると「次の言葉を雰囲気で予測する AI」ができたのです。これにより、機械翻訳や時系列データの予測などで大幅な精度向上が実現されました。

この Transformer は、ChatGPT の中で使われている GPT（Generative Pre-trained Transformer）の基礎となりました。また、Transformer はさらに発展し、ViT（Vision Transformer）などの画像向けのアルゴリズムの開発に繋がり、StableDiffution などの画像生成 AI の礎になっています。

GPT の発展の過程で、Transformer のスケーリング則というものが発見されました。これは AI の性能は、学習回数、データセットの大きさ、Transformer のパラメータの大きさの3つのパラメータのべき乗に比例しているというものです。

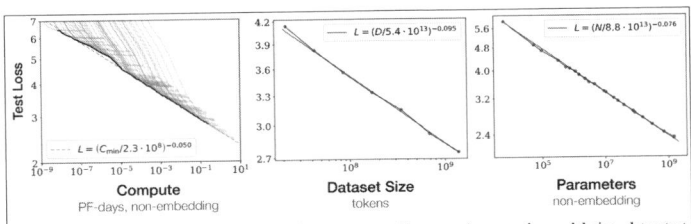

Figure 1 Language modeling performance improves smoothly as we increase the model size, datasetset size, and amount of compute[2] used for training. For optimal performance all three factors must be scaled up in tandem. Empirical performance has a power-law relationship with each individual factor when not bottlenecked by the other two.

"Scaling Laws for Neural Language Models" Jared Kaplan, et al.@ OpenAI, arXiv, 2020. (https://arxiv.org/abs/2001.08361)

学習回数はクラウドを借りる時間を増やせば増やせます。データサイズ

は多くのデータを SNS 事業者や出版社から買ってくれば増やせます。パラメータの大きさは利用するコンピュータのメモリ量と計算時間を増やせば大きくできます。

　すなわち、この発見は「**お金をかければいくらでも AI の性能は上がる**」ということに他ならないのです。

　これにより、OpenAI 社は、莫大な資金を使ってコンピュータをレンタルし、GPT-3の開発に乗り出したのだと考えられます。GPT-3の学習のために必要な計算回数から、コンピュータのレンタル費用を推定すると約460万ドルであったと言われています。そして、GPT-4については、OpenAI の CEO はインタビューで「学習には1億ドル以上かかったか？」という質問に対して「それ以上かかった」と答えています。

　GPT-3、GPT-3.5、GPT-4と OpenAI 社の GPT は進歩し、「次の言葉を予測する AI」は、ある種の AGI と呼んでもよい性能にまで到達しました。AGI とは汎用人工知能（Artifical General Intelligence）のことであり、人間が実行できるタスクであればなんでも実行できる AI である、人間と遜色ない思考が行える AI である、といったものです。

　たとえば、GPT-4にアメリカの司法試験を受けさせてみると、合格に相当する上位10% のスコアを取りました。特定の問題に関しては、人間よりも圧倒的に成績が良いということが明らかになったのです。試験問題を読み、その続きの文章を予想するというだけで、司法試験の受験者の上位10%に食い込むのです。これはある種の AGI と呼んでよいと思います。

GPT から ChatGPT へ、インターフェースの革命

　ChatGPT はこの GPT を対話型インターフェースとして動作するように、再教育（ファインチューニング）したものです。「次の言葉を予測するAI」に対して、どのような受け答えが適当かを学習することで「次の対話を予測する AI」へと成長しました。

　ChatGPT はチャットインターフェースによる革命です。「次の言葉を予測する AI」では一般人は利用できなかったのです。以下は GPT-3の論文で書かれている、「次の言葉を予測する AI」を用いて、どうやって英語からフランス語へ変換するかというプロンプトエンジニアリングの事例です。

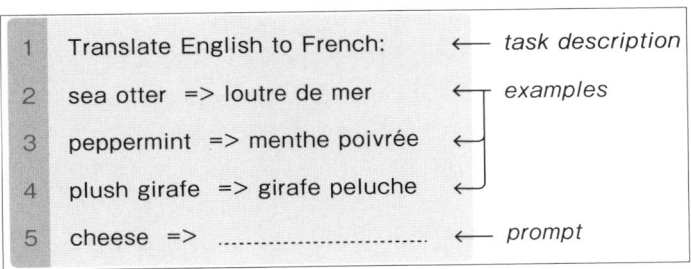

"Language Models are Few-Shot Learners" Tom B. Brown, et al. @ OpenAI, arXiv, 2020. (https://arxiv.org/abs/2005.14165)

　このように GPT-3では、タスクの説明と例示を行い、最後に一行だけ目的とする言葉を書くことで様々な英語をフランス語に変換することができたのです。どうでしょうか？　あなたはこのような文章を書けるでしょうか？　人が話すような自然言語のようで自然言語ではないので、普通の人はなかなか書けないと思いますし、ましてや自分が抱えている課題の部分的な答えの例示などは難しいでしょう。しかし、「次の言葉を予測するAI」には、このような独特の独り言の続きを書いてもらうしかなかったのです。

　GPT-3は2020年頃から API が提供されていました。この例示（Few-shot-learning）による課題解決のアプローチを理解したプログラマーたちは、

これは新しいプログラミングの形である、として「プロンプトエンジニアリング」と呼び始めたのです。2020年頃はプロンプトエンジニアリングとはこのような文章を作ることを指していました。

そして、2022年11月30日にChatGPTが公開されました。このバージョンのChatGPTには、どのような受け答えが適当なのかを再学習し、不適切な発言を行わないように調整されたGPT-3.5が用いられました。これにより「次の対話を予測するAI」が誕生したのです。そして翌月には利用者は100万人を超えたと推定され、2023年6月現在は1億人以上の利用者がいると推定されています。

GPTとChatGPTの大きな違いは、チャットインターフェースにあります。一般人には「次の言葉をAIに予測させるための独り言」を考えるのは難しいですが、「AIのパートナーに対する質問」はをするのは容易だったのです。先のフランス語の例で考えてみましょう。AIパートナーとの対話であれば「Please translate English to French. "cheese"」（この文章は例示を省いています、変換精度を上げたいのであれば例示を入れてください。）と言えば良いのです。これであれば多くの人が文章を作れるのです。

チャットインターフェースにより、多くの人がChatGPTに対するプロンプトが作れるようになり、ChatGPTは爆発的に広がりました。そして、ホワイトカラーの多くの仕事が、ChatGPTによってサポートできるのではないか？　という話にまでなったのです。Googleで検索するよりもChatGPTに質問したほうが圧倒的に良い結果が得られる、なんてことも多くありました。

ChatGPTのウェブサービスの公開とともに、ChatGPTのAPIも公開されました。これにより、ChatGPTの圧倒的な性能を簡単に業務へと組み込めることに多くの人が気づいたのです。ウェブ版のChatGPTで実験をして、実験結果をAPIを経由して業務に組み込んでいくというルートが確立したのです。

その後、GPT-4が利用できる有料プラン（ChatGPT Plus）が発表され、GPT-4の圧倒的な回答精度に驚愕することとなりました。さらには、

ChatGPT が苦手とするリアルタイムの情報や、Web 検索、物理、数学などをサポートするプラグイン機能が有料版で使えるようになりました。

ChatGPT を使っていると忘れがちになりますが、ChatGPT の根本は「次の言葉を予測する AI」であることは、常に頭の片隅に入れておいてください。ChatGPT が不可思議な動作をしたときに理解の手立てになります。

ChatGPTからLLMへ

OpenAI 社による GPT-3.5 までの開発プロセスは、そのほとんどが論文を通じて公開されました。これにより、各社が独自の Large Language Models（LLM、大規模言語モデル）を開発し始めています。LLM とは ChatGPT のように、多くのテキストから学習をした言語生成 AI を指す言葉です。

ChatGPT の公開により、LLM にどれほどの事業価値があるのかが明らかになりました。また、スケーリング則の発見から、どれほどの金額を投資すればどの程度の性能になるのかの見積りができるようになったため、投資の費用対効果も明らかになりました。このため、大企業やベンチャー企業による LLM への投資が加速しています。

Google は ChatGPT に対抗して「Bard」を 2023 年 2 月に公開し、同年 5 月には日本語対応をしました。Meta（Facebook）は「LLaMA」を公開しました。日本では富士通が、国産スーパーコンピュータの富岳を利用して独自の LLM を作る、という発表をしました。このほかにも多くのテック企業が LLM に参入しており、毎週新しいニュースが飛び込んでくるような状態です。そのため ChatGPT も来年には使われなくなり、多くの人が新たな LLM のサービスに乗り換えているかもしれません。

それでも、しばらくは ChatGPT の一人勝ちが続くと予測しています。理由はいくつかあります。まず、人間的な受け答えをするための再学習に長い時間、高いコストをかけているためです。また、倫理的なフィルターがよくできており、商用利用においてリスクが比較的少ないこと。多言語対応されており、非英語圏のユーザーの取り込みに成功しているというこ

ともあります。加えて、ChatGPT はもっとも早くリリースしたことで、大量のユーザーを抱え、そのユーザーたちによる大量の入出力のデータという先行者利益を得ていることも挙げられます。

　大量のユーザーとの対話データを元に、ChatGPT はさらに精度が良いものになっていくと考えられます。たとえば、ユーザーが回答に満足したら何をするのか？　不満だったら何をするのか？　を考えてみましょう。満足な回答を得た場合、ユーザーは ChatGPT に次の質問を投げかけるでしょう。不満な回答を得た場合、ユーザーは「Regenerate」ボタンを押して別の回答を求めるでしょう。このように、ユーザーの暗黙的なリアクション（implicit feedback）は、受け答えが良かったか悪かったのかという極めて重要な学習データになると考えられます。

　以上が第一次 AI ブームから ChatGPT に至るまでの大まかな沿革です。技術的な話はほとんど省いていますし、ディープラーニング技術の中でも生成 AI に至る過程にある GAN や LSTM などの項目は飛ばしています。これらについては別途調べていただければと思います。

生成 AI は何がイノベーティブだったのか？

　生成 AI は何がイノベーティブだったのか？　これを考えるには、現代の労働とは何かという大きい枠組みの話をしなくてはなりません。現代の労働において、人間がなぜ働くのかと言えば、コンピュータや機械が実現できていない仕事があるからです。では、それはどんな仕事でしょうか？複雑な判断や、定型的ではないアウトプットを要求するような仕事です。簡単な判断や、定型的なアウトプットはどんどんコンピュータや機械によって既に奪われているのです。

　ChatGPT を始めとする生成 AI が登場したことで、IT 産業は新たな局面に入ったと考えています。以下の図は機械学習が産業利用される以前の業務分担図です。横軸にミスの許容可能度、縦軸に入出力の複雑さをとったものです。

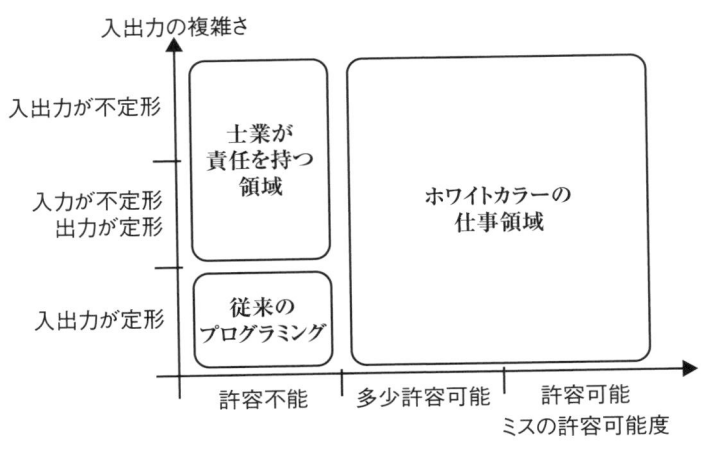

　この図はざっくりと3つの領域に分かれます。まず左下が従来のプログラミングの領域です。これは簡単に言うと「プログラムは間違ってはいけない定形な仕事を奪う」ということです。次にその上の士業が責任を取る領域です。これは「責任」を取る人がいないと成立しない仕事です。最後に右側のホワイトカラー（知的労働者）の仕事の領域です。ホワイトカラーの仕事は入出力が不定形であり、作業フローも非定型であったりします。そのため、多少のミスはあっても仕方ないという前提の上で仕事が行われています。

　機械学習がビジネスに組み込まれるにつれ、ホワイトカラーの仕事領域はそれらによって少しずつ代替されつつあります。その図がこちらになります。

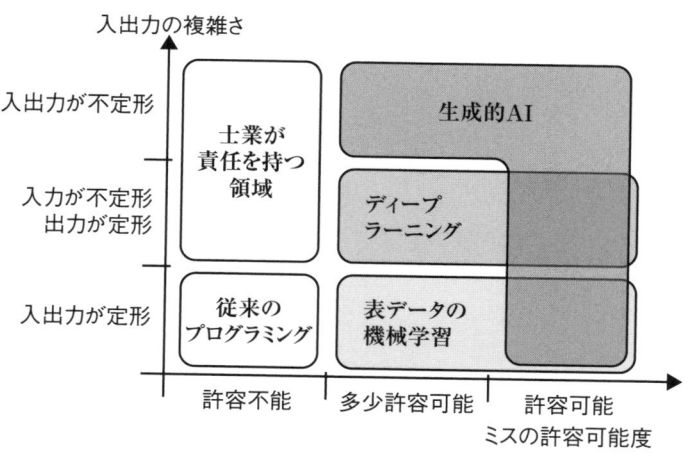

40

ホワイトカラーの担っていた領域は、少しずつ AI によって代替されていきました。そして、生成 AI の登場によって、最後までホワイトカラーが担っていた「入出力が不定形で正解があやふやな仕事」も脅かされつつあります。

　それぞれの項目について解説しましょう。まずは左下の「従来のプログラミング」となっているところです。入出力が完全に定型で、ミスが許されないところです。こういったタスクはコンピュータの独壇場です。例えば銀行取引等を考えてみましょう。お金の出入りは数値のやり取りで完全に定型化しています。そしてミスは絶対に許容できません。こういったものはプログラミングによって解決されます。プログラマーの仕事とは、いかに仕事から定型でルールが決まっているものを見つけ出し、プログラムによって置き換えていくか、ということでした。

　続いて左上の士業の領域です。入出力の複雑さが増し、どのような意思決定を行えばよいのか、全く定型化できず、またミスが全く許されない領域です。たとえば会計士や弁護士などがここの士業の領域にあたります。ミスは決してしてはいけない領域です。しかし、人間である以上ミスは起きます。そのため、士業の免許に対する制限や、罰金などの「責任」によって、ミスが発生しないことを保証しています。

　ここから右側の領域は、これまでホワイトカラーの領域でした。しかしそれも少しずつ AI に置き換えられつつあります。

　右下の、入出力が定型でミスが多少許容可能な「表データの機械学習」の話をします。入出力が定型であっても入力が何十個もの項目があったら、ルールを作り出すことは困難です。たとえば、生命保険加入の審査などがこれにあたります。年齢、性別、年収、病歴、学歴、保有資産、居住地、職業等、様々な情報から審査が行われ、保険加入の可否の判断や保険等級の決定がなされます。これをルールベースで与信を行おうとするとどうでしょうか？　年齢が41歳で、年収が800万円以上で…といったルールを作ろうとすると、いくらルールがあっても足りません。そのため右下の領域は従来のプログラミングで解くことは困難でした。人間の経験と勘で判断するしかなかったのです。

一方でこの領域は、元より人間が判断していたため、多少のミスは許されていました。保険はもとより確率的にあっていればよいビジネスなので、保険会社は多少のミスが存在することを前提に高めの保険料を取っておけば良いのです。また、逆に言うと予測精度を上げられると、保険料が下げられ、市場競争力が改善します。

　このような仕事に関しては表データの機械学習が用いられます。ここには、Lasso 回帰、決定木やランダムフォレスト、xgboost、LightGBM などがあります。理系の学生であれば学校で習っているであろう最小二乗法による回帰や重回帰などもここに該当します。

　次にディープラーニングが出てきます。ディープラーニングは画像などの極めてデータ量が大きい現実的な問題を取り扱えるようになりました。たとえば、1000 ピクセル四方の画像は、300 万次元のデータであるといえます（1000 ピクセル×1000 ピクセル× 3 色 =300 万）。このように次元が極めて大きく、なめらかなデータは、従来の表形式の機械学習ではうまく取り扱うことができなかったのです。

　音声や画像といった従来の表データの機械学習がうまくこなせていなかった仕事をこなせるようになった結果、ディープラーニングは急速に広がっていくことになります。しかしこの出力はあくまでもある程度の定型です。画像に何が映っているのか、製品が不良品かどうか、そういった限定的な出力がメインでした。

　最後に登場するのが生成 AI です。これは複雑な出力であっても難なくこなせることが価値なのです。画像生成 AI は簡単な指示でそれっぽい絵をすぐに作ってくれます。ChatGPT に報告書のテンプレートを依頼すればすぐに作ってくれますし、要約の依頼や、相談相手にもなってくれます。ディープラーニングが登場しても残っていたホワイトカラーの仕事を奪い取ろうとしているのです。だから脅威でありイノベーティブなのです。

　そして LLM は、従来の表形式の機械学習や、ディープラーニングが担っていた領域も、再学習なしにカバーすることができます。たとえば、次のようなプロンプトを作ることで、文章の難易度の推定ができてしまいます。

このプロンプトの後ろに芥川龍之介の「羅生門」の冒頭を入れてみると難易度は5（小学校高学年相当）、童話の「おおきなかぶ」では1（小学校一年生相当）、評論家の吉本隆明の文章では8（文学部レベル）と評価されました。そのため、この文章難易度推定器は比較的妥当な結果を返していると分かります。余談ですが、私は吉本隆明の文章は難しすぎて読解することができませんでした。ちなみに「###」はどこまでが指示で、どこからが資料かを、ChatGPTにとって分かりやすくするために付けています。

文章難易度推定器を作るには、本来であれば多様なコーパス（文章事例）を収集し、人間がアノテーション（正解データの作成）を行い、適切な機械学習を行わなければ作ることは難しいでしょう。しかし、ChatGPTを用いると、これが一瞬で作れてしまうのです。もちろん、精度は人間がちゃんと作ったものと比べると高くないでしょう。しかし、精度が低くても成立するような分野では十分だったりします。

そしてホワイトカラーの多くの仕事は、入出力は複雑であっても、実は高い精度が要求されていないのではないか？　むしろ未熟なホワイトカラーと比べたら、適切なプロンプトエンジニアリングを行ったChatGPTのほうがクオリティが高いのではないか？　ChatGPTを利用していると、こういった考えが常に頭をよぎります。これを「脅威」と言わずして何と言いましょうか。

今後、ホワイトカラーの仕事はAIにどんどん取って代わられると思います。しかしAIが仕事を奪うのではないのです。AIを使いこなす人間が仕事を奪うのです。AIを脅威と感じるのではなく、AIの使い方を身に付けた人間に脅威を感じてください。

1 エシカルデータの潮流

Column.

　ここでは、近い将来に生まれるだろう、エシカルデータという発想・ムーブメントについて紹介します。ちなみにこの言葉は私の造語なので、検索しても出てきません。

エシカルとは？

　「エシカル」という言葉を聞いたことはあるでしょうか？　「エシカル」とは「倫理的」や「道徳的」という意味で、特に製品やサービスが社会的、環境的に負の影響を最小限に抑え、公正かつ道徳的な方法で作られていることを指す言葉です。

　たとえば「エシカル消費」とは、製品やサービスを購入する際に、社会的、環境的、動物福祉に配慮した選択をする消費行動のことを指します。今では「フェアトレード」を包括するような概念となり、広く普及するようになりました。SDGs に配慮した消費活動と言い換えてもいいかもしれません。

　また、AI の文脈では「エシカル AI」という言葉が用いられることがあります。AI の予測結果に倫理的、差別的な問題が含まれていないか、ということを検討・調査・対策することです。せっかくなので、エシカルデータについて説明する前に、エシカル AI についても少し触れておきましょう。

エシカル AI 機械学習に潜む問題

　何も考えずに AI を作ると、倫理的に問題のある AI が作られてしまうという例を紹介します。

　Grad-CAM という論文に載っている、医者と看護師を見分けるという問題の事例です。

● 医師と看護師を見分ける AI を作るために、インターネット上から医師と看護師の画像を収集し、機械学習を行った。
● 収集した画像から交差検定を行い、精度には問題が無いと判断した。
● しかし、この AI に女性の医師の画像を入力すると、看護師と判断されてしまうという問題が発生した。

　一見正しいプロセスを踏んでいるのに、なぜ問題が発生したのでしょうか？
　原因はインターネット上から収集してきた画像にありました。インターネット上で流通している画像は、その職業における男女比をある程度反映しています。医師には男性が多く、看護師には女性が多いのです。そのため、収集してきた画

像は医師では男性が78%、看護師では女性が93%だったのです。

　結果として、医師か看護師かを見分けるAIを作っていたはずが、男性か女性かを見分けるように学習してしまっていたのです。そのため、女性の医師の画像を見たAIは、女性であることを理由に看護師と答えてしまった、というわけです。

　最終的に、元のデータセットを補正し、医師と看護師のカテゴリにおける男女比をそれぞれ均等にすることで、医師か看護師かを判別するAIが上手く作れたことを報告しています。

　医師と看護師を見分けるという程度であれば、たんなる笑い話なのですが、これがお金や仕事、生死の問題に繋がってくると大問題になってきます。

アノテーションの必要性と問題点

　現在のAIが利用する学習データの多くは、正解データの作成を人間が人手で行っています。この作業はアノテーションと呼ばれています。機械学習ブームの裏側には、大量の人手によるアノテーション作業があり、よいアノテーションが行われて初めて良いAIができるのです。

　一方で、アノテーション作業は低賃金で海外にアウトソーシングされることが多く、これが近年では批判の対象になっています。

　アメリカのTIME誌は、OpenAI社がアノテーションのアウトソーシング企業を通じて、ケニアの労働者に対して、時給2ドル以下でアノテーション作業を行わせていた、という批判記事を公開しました。

　GPTはインターネット上のコンテンツを元に学習したため、不適切な内容が出力されることがよくありました。そのため、不適切なコンテンツが出力されないように、どのようなコンテンツが不適切なのかを再学習（ファインチューニング）する必要があります。

　ケニア人のアノテーション労働者は、どのような文章が不適切なコンテンツに該当するのかをラベリングする作業に従事することになりました。そして、一日中そのような文章を読んだ結果、精神疾患を患う人が出てきたのです。

　この記事が公開されたことで、OpenAI社はケニア人労働者を搾取している、という批判に晒されました。しかし、一方で時給2ドルはケニアの平均的な生活賃金よりも高いため問題がない、という意見も存在します。

「エシカルデータ」によるAI発展の阻害活動

　AIの発展は目覚ましく、今後も多くの人に多大な影響を与えていくことは確実です。そのため、AIの発展を止めたい人々も現れ始めていますが、しかしAIの進歩を止めるための法的根拠はほぼありません。

　そこで、AIの発展を食い止めたい人が行うのが「エシカルデータ」という考え方です。「学習元となるデータが、倫理的、道徳的に問題が

無いことが保証されていない限り、そのAIは使うべきではない。保障のためにデータを公開するべきである。」という運動が、今後起こっていくはずです。

この萌芽は既に画像生成AIの分野で見られます。画像生成AIのStable DiffusionやMidjourneyの学習には、LAION-5Bという画像データセットが用いられています。このデータセットはインターネット上に公開されている画像と説明文からなり、約50億枚のセットが含まれています。

そして、このデータセットには、アニメのキャラクター、無修正ポルノ、本来であれば非公開であるはずだった医療画像などが含まれています。このほかにも、画像を転載して記録するピンナップサービスのPinterestに登録されている画像や、YouTubeのサムネイル画像なども含まれています。

LAION-5Bに含まれている画像は、インターネット上に公開されている画像なので、誰でもアクセスできる画像であり、これらをAIの学習に使うことについては、法的な問題は無いとされています。

しかし、「1枚でも著作者の許諾を得ていない画像が含まれているのであれば、その画像生成AIは著作権侵害を行う可能性があるので、使うべきではない」「学習に使った全ての画像データを公開し、著作権侵害が行われていないことを保障するべきである」といった過激な意見も人々の間から飛び出しています。つまり法ではなく倫理の側で責めているのです。これはまさしく「エシカルデータ」と呼んでいい行動だと思います。

さらには魔女狩りのようなことも起こっています。「画像生成AIによって児童ポルノが生成できたから、そのAIは学習データに児童ポルノを含んでおり非人道的だ」というロジックによる非難です。

しかし、AIは組み合わせによってそのような画像を生成したのかもしれませんから、その出力によって学習データに児童ポルノが含まれていたと断言することはできません。

エシカルであることを重視したアノテーション事業者の台頭

エシカルであることを重視した、アノテーション作業のアウトソーシング先も存在します。

たとえば日本ではバオバブ社（https://baobab-trees.com/）がそれに該当します。同社は「誰もが自分らしくいることが受け入れられ、人生の選択肢が開かれている社会」というビジョンを掲げ、働き方に制約がある人々へアノテーション業務の作業委託と実施支援を行うことで、新たな雇用機会を生み出しています。

例えば、子育て中の主婦や主婦、障害を持つ方々（障害者就労施設）、アフガニスタンやシリア、ウクライナの戦争難民で日本に避難中の方、などが同社のアノテーター（バオパートナー）として働いており、東京都の最低賃金以上の適正な報酬が支払われているとされています。

また同社の業務は、嫌だったらそのアノテーション業務をやめても良い、画像の場合はスキップをしてよいとしています。そして、スキップされた画像はパー

トナーではなく、社内で引き受ける、というワークフローになっており、アノテーターに過剰な精神負荷がかからないような配慮がなされています。

　海外ではオーストラリアの Appen というクラウドソーシングのアノテーション事業者が、「Crowd Code of Ethics」という労働者倫理規定を掲げています。その中には、「Fair Pay（公正な給与）」や「Diversity & Inclusion（多様性と受容性）」「Crowd Voice（クラウド労働者の声・フィードバック）」などが含まれています。

　エシカルデータの概念が広まっていくと、途上国の労働者を搾取するようなアノテーション事業者ではなく、バオバブや Appen のような社会貢献を掲げ、社会的弱者を手助けし、適正な賃金を支払う事業者が選択されるようになっていくと考えています。

エシカルデータの展望

　いまや全ての企業が AI を活用し、恩恵を得る時代となっています。ところで、もし上場企業が活用している AI が、非人道的な環境で作られていることが明らかになったとしたら、どうなるでしょうか？　その企業への悪評となり、株価下落のコストやリスクを背負うことになります。実は、上場企業にとってエシカルデータは死活問題なのです。

　従って、エシカルデータは短期的には AI の発展を妨げたい人々によって推進され、中期的には新興企業に対する参入障壁を築きたいテック系大企業によって、そして長期的には、もろもろの環境に配慮した企業であるとアピールしたい上場企業によって推進されていくはずです。

　となると、エシカルデータの認定を受けた AI しか商用利用できない、という未来がありえるかもしれません。そして、その資格に関わるアノテーション事業者や社内のアノテーション部門のランク付けや認定は、エシカルデータの観点から行われるようになると思います。

　この文章を書いているのは、2023 年 6 月です。2030 年くらいまでにエシカルデータやそれに類する運動が興らなかったときは、笑ってやってください。

ChatGPT Café

第3章

ChatGPTの使い方
基礎編

ChatGPT をうまく使いこなすためのコツとは、
どのようなものでしょうか？
本章では ChatGPT の基本的な使い方を通じて、
コツや「戦略」を紹介していきます。

習うより慣れろ
Practice makes perfect.

　それでは ChatGPT を普通に使ってみましょう。とはいえ、いきなり使ってみようと思うと何を聞いたらいいか困りますよね。そんな時は、何を聞いたらいいかということそのものを質問してみましょう。

> 私はあなたに何を聞いたらいいですか？　　　　

> あなたが何に興味があるか、またはどのような情報を求めているかによります。以下にいくつかのカテゴリを示します：
> 1. 科学：物理学、化学、生物学、天文学、地理、地質学などの問題を扱います。
> 2. テクノロジー：AI、コンピュータ科学、最新の技術トレンド、ソフトウェア、ハードウェアなどについての質問。
> 3. 歴史：ある特定の時代や事件、人物についての質問。
> 4. 文学と芸術：作家、芸術家、映画、音楽、絵画、彫刻などについての質問。
> 5. 言語学：異なる言語、言葉の起源、文法などについての質問。
> 6. 哲学と宗教：哲学の概念、哲学者、宗教についての質問。
> これらはあくまで一例です。あなたが疑問に思うこと、知りたいことなら何でもお聞きください。

　このように、様々なジャンルを提示してくれます。ここから、「そういえばあの芸術家について詳しく調べてみたいと思ってたんだよな」ということを尋ねてみてもいいですし、逆に、「なんだかここには自分の興味があるものがないなあ。そうだ、自分は仕事や健康に悩みを抱えていたんだ」などといった風に、別な問題について投げかけてもよいです。この中

に自分の興味のあるテーマがなければ、その旨をさらに問うてみればよいのです。

> この中には私が聞きたいと思うものがなかったので、さらに私が聞きたいと思う可能性がある内容を提示してください。

> もちろんです、他にも以下のようなトピックがあります：
> 1. 健康とウェルネス：運動、栄養、心理学、瞑想、ストレス管理など。
> 2. エンターテイメント：映画、音楽、ゲーム、ポップカルチャーなどのトピック。
> 3. スポーツ：各種スポーツのルール、選手、歴史など。
> 4. 旅行と観光：観光スポット、旅行の準備とアドバイス、文化的な違いについて。
> 5. キャリアと教育：職業に関するアドバイス、学習戦略、大学の選択、専攻分野について。
> 6. 経済と金融：個人金融、投資、経済理論など。
> 7. 料理と食べ物：レシピ、料理方法、食材についての情報。
> 8. 自然と環境：生物多様性、気候変動、環境保全について。
> どんな質問でも歓迎しますので、どんなトピックに興味があるのか教えてください。

このような追加の質問をすると、ChatGPT は過去に何を発言したかという文脈をうまく読んで、前回の発言になかったジャンルを提示してくれます。

ChatGPT の凄いところは、文脈を察知して、こちらの曖昧な投げかけに反応をしてくれるところです。ChatGPT 自体は**「徹底的に受動的な秘書」**ですが、この柔軟さのおかげで、本当に最初の投げかけさえ何か与えれば、あたかも主体的であるようなやりとりをしてくれます。

「チャット」という言葉があることからも明らかな通り、このインターフェースは対話をベースとしたものですから、質問形式ないし命令形式で言葉を投げかけた方が、より効果的な反応を引き出すことが可能です。

そして、何度もやり取りを重ねることで、洗練された対話へと昇華させることができます。

　ChatGPT に与える質問文のことを「プロンプト」と呼びます。プロンプト（Prompt）とは「促す」という意味の英単語ですが、コンピュータ分野ではユーザーからソフトウェアや OS に対して指示を促す入力フォームのことを指します。ChatGPT を使いこなす秘訣は、このプロンプトをどれほど上手に扱えるかにかかっています。

よい「プロンプト」とは何か

　仮にあなたが「世界恐慌について説明してください」と質問されたとします。そうしたらどう答えますか？　もし学校で習った記憶を思い出せるようであれば、「1930年代にアメリカから全世界に波及した恐慌である」なんていうふうに述べることができるかもしれません。

　この回答に対して、質問した人が「世界恐慌の原因とか影響についての説明が抜けてるよ」と言ってきたらどうでしょう？　「いやいや、原因や影響について答えよなんて質問してなかったじゃん」と思いませんか。

　これは ChatGPT に対してもあてはまる話です。聞きたい内容を具体的かつ明確に質問文で指定してあげると、ChatGPT は望んだ形の回答を返してくれやすくなります。ですので、曖昧なプロンプトをどちらかといえば「良くないプロンプト」、明確で具体的なプロンプトを「良いプロンプト」と考えておきましょう。

　ただし、ChatGPT はかなり頭がいいので、GPT-3.5も GPT-4も、曖昧な質問に対しても気を利かせてくれます。「世界恐慌について説明してください」と聞いたら、こちらが詳しく指定していなくても、ある程度原因や影響についても説明してくれます。凄いですね。

 世界恐慌について教えてください。

「世界恐慌」とは、1929年から1933年頃にかけて世界経済が大幅に落ち込んだ時期を指します。この経済危機は、主にアメリカ合衆国から始まり、全世界に広がりました。世界恐慌の原因、過程、影響は複雑で広範囲にわたるため、以下に主なポイントをまとめてみます。

原因：

株式市場の崩壊：1929年10月24日、"ブラック・サーズデー"として知られる日に、アメリカのニューヨーク証券取引所で株価が大暴落しました。この暴落は、数日間にわたって続き、多くの投資家が破産しました。

信用の収縮：株式市場の崩壊は、銀行システムに深刻な打撃を与えました。多くの銀行が取り付け騒ぎに直面し、多くの銀行が倒産しました。これにより、信用供給が大幅に縮小し、企業の倒産や失業率の増加を引き起こしました。

貿易の縮小：1930年代初頭、各国が保護貿易政策を導入し、輸入関税を引き上げました。これにより世界貿易が大幅に縮小し、国際的な経済活動が停滞しました。

影響：

失業：アメリカだけで見ても、失業率は25%に達し、一部の都市ではさらに高まりました。全世界でも失業率が急上昇しました。

（後略）

もし回答が「ピントを外しているな」と思ったら、質問をより具体的かつ明確な形で記述するように心がけてみてください。

その他、曖昧な質問の例を挙げてみると「どこの会社に就職するべきですか？」「料理のヒントを教えてください」「どうすれば人間関係を改善できますか」などといった文章がすぐに考えられます。

ChatGPTは優しいので、こういった質問に「わかりません」とは言わず、一般論としてこういうことが考えられる、といったことを教えてくれます。それが考えをすすめるきっかけとなるので、悩みが多い人にとっては非常に役立ちます。

よいビジネスパーソンは、よいプロンプトを作り出せる

You can make good prompts.

　曖昧な質問に答えるというのはたいへんです。自分がこのような質問をされた側となって考えてみれば、「それは人によるでしょ」とか、「もっと具体的な情報がわからないと答えられないよ」となるはずですし、もしそれでも答えようと思ったら、色々と相手の情報を想像したりしながら、さながらエスパーのように振る舞うことになります。それは、けっこう疲れそうなことですよね。

　こうしてみると、よいプロンプトとは、ChatGPT に対してのみの話ではなく、人間を相手にしたときにも当てはまるような概念です。
　明確で具体的な指示を与えればこそ、言われた相手も適切に振る舞いやすいはずですが、逆に曖昧で漠然とした質問や指示を与えたなら、非効率な仕事の仕方をしたり、間違ったアウトプットを出したりするのは自然なことです。

　「ChatGPT は使えない」、「ChatGPT は大したことない」という意見をSNS でしばしば目にします。このような発言は実は「私は適切な指示を与える能力がありません」という告白に他ならないのではないでしょうか。逆を言うと、ChatGPT をうまく扱える人というのは、人をうまく扱える人の可能性が高いのです。

　幸運なことに、ChatGPT は、人間と同じような意味では疲れたりしませんから、何度か会話を繰り返せば、明確で具体的な内容をやり取りすることができるでしょう。実際の人間と、何度も細かいやりとりを繰り返していたら、途中で疲れてしまうかもしれませんから、これは AI ならではの強みです。

　一方で、そのようにやりとりを増やすかたちで ChatGPT を使っている

と、逆に使用者であるこちら側が疲れてしまうかもしれません。そういう際には、アウトプットのフォーマットを逆算して具体的で明確なプロンプトを書く、という原則を意識すれば、やりとりの量が減るはずです。

　コツは、ChatGPT を「何も知らない新規の外注先」「入社したばかりの新卒社員」だと考えてみることです。慣れ親しんだ同僚相手なら省略できるような様々な情報をこの人たちは持っておらず、あなたの常識は通用しません。それでも話が通じるように説明するにはどういうことを書いたらよいか。そこに注意してみましょう。

　実際、ChatGPT はまさに「何も知らない新規の外注先」です。得意なことについてはたいへんな知識がありますが、あなたのことやあなたの会社の常識などはまったく知りません。文脈を共有していないということです。さらに、あなたの会社などの社内システムを調べるようなことも通常はできませんし、さらに知っている知識も2021年以前までのインターネットによるものに限定されます。

　こういうことは知っていて当然だ、という思い込みで ChatGPT を使うと、痛い目を見るかもしれません。

プロンプト エンジニアリングとは

What is Prompt Engineering?

　上手に ChatGPT に働いてもらうためには、適切なプロンプトを作ることが求められます。そして、目的とする回答を得るために適切なプロンプトを作っていく活動は「プロンプトエンジニアリング」と呼ばれています。

　AI に対して命令する文章の作り方を研究するだけで「エンジニアリング（工学）」とは仰々しすぎるという意見も当初はありました。しかし、仕上がったプロンプトを見ると、「これはエンジニアリングである」と言うしかないようなものまで登場しています。4章の「プログラミングスキルで ChatGPT を高性能化する」には、まさにエンジニアリングしたプロンプトが記載されています。

　「プロンプトエンジニアリング」には、「質問力」や「言語化力」といったビジネス的なソフトスキルだけでなく、「要件定義能力」「問題分解能力」「プログラミング能力」といったモノづくりに必要な能力まで要求されています。プロンプトエンジニアリングとは、対人コミュニケーション能力のみならず、モノづくりに必要な能力が要求される総合格闘技なのです。

　本書では、「プロンプトエンジニアリング」を行うには様々な技術や能力が必要であるとして、様々な角度からプロンプトを作成し、その戦略を説明していきます。

問題を
分解してもらう

Have a problem broken down.

先ほど、よいプロンプトとは「明確かつ具体的である」と述べました。

しかし、問題や課題が整理できておらず、明確化や具体化ができていないから困っているということはしばしばあります。そんな時は曖昧でもいいからまずは「ChatGPT 上で呟いてみる」（あたかも Twitter のように）ということが、解決策を得る最初のきっかけになります。

たとえば、「あまり言うことを聞かない部下がいるのだが、どうしたらいい？」と質問してみたとしましょう。もちろん、このような質問はあまりにも曖昧で、そもそも何が望ましいのかが示されていないのに、「どうしたらいい」も何も答えられるはずがありません。

しかし、それでも ChatGPT に投げてみることが大事です。

するとこういう回答が返ってきました。

> あまり言うことを聞かない部下がいるのだが、どうしたらいい？

> 部下が指示を聞かないときには、問題を理解し解決するために以下のステップを試すことが有効です：
> 1. コミュニケーションを確認する：まず、自分の伝え方が明確で理解しやすいか確認してみてください。メッセージが曖昧だったり、指示が不確かだったりすると、部下がどのように行動すればいいか混乱してしまうことがあります。
> 2. フィードバックを求める：部下にフィードバックを求めてみてください。彼らが指示を聞かない理由を理解することは、問題解決の第一歩です。それが彼らの理解力の問題なのか、あるいは指示自体に不満があるの

か、またはそれ以外の何か、具体的な理由を探ること
　　が重要です。
　3. モチベーションを理解する：部下があなたの指示に従
　　わない理由の一部は、モチベーションの欠如かもしれ
　　ません。その業務に対する彼らの興味や目標を理解し、
　　どのようにそれを育むことができるか考えてみてくだ
　　さい。
　4. 関係性を構築する：信頼と尊重のある関係を築くこと
　　は、部下が指示を聞く意欲を高める上で重要です。彼
　　らの意見を尊重し、開かれたコミュニケーションを維
　　持し、時には彼らの視点を受け入れる柔軟性を示すこ
　　とが助けとなります。
　5. 訓練と教育：部下が指示を適切に理解し実行できるよ
　　うにするために、必要なスキルや知識を提供するため
　　の訓練や教育を検討してみてください。
　これらのステップを試すことで、あなたの部下との関係性
　を改善し、彼らが指示を聞く意欲を高めることができるで
　しょう。

　ChatGPT は質問した以上の具体的な情報を知らないので、あくまで一
般論として返事をしています。しかし、それでもかなり具体的なアイディ
アを得ることができました。これにより、一般論を元に今後のアクション
を検討していくことが可能になりました。

　あなたは上記の回答を参考に、「部下のモチベーションに問題があるの
ではないか？」という仮説を持ったとしましょう。そうしたら、それを文
章に起こして、再び ChatGPT に聞いてみます。これは同じスレッド内で
聞いてください。別のスレッドにすると前の質問の受け答えの情報が使え
なくなってしまいます。

　　部下が言うことを聞かないのは、もしかしたらモチベーショ
　　ンが持てない状況にあるからかもしれない。しかし何がモ
　　チベーションかはあまりよくわからないし、なかなかそれ
　　を聞く機会もない。自分としては必ずしも無理をして意欲

的に仕事をしてもらいたいというよりは、モチベーション
がないならないなりに効率的に働いてもらえればそれでよ
く、メンタル面にまで強く干渉したいわけではない。こう
いう状況を好転させるにはどうしたらよいでしょうか？

モチベーションが低い部下を効率的に働かせるためには、
その人の能力と仕事内容の適合性を高め、さらには適切な
フィードバックと賞賛を与えることが効果的です。以下に
詳しく説明します：

1. 能力と仕事のマッチング：人は自分が得意とする仕事
   をするとき、自然とモチベーションが上がります。部
   下が得意とすることや興味を持つことを把握し、それ
   を仕事に結びつけることができれば、モチベーション
   の問題を一部解決できるかもしれません。

2. 明確な期待値：部下が自分に何が期待されているのか、
   どのような結果が必要とされているのかを明確に理解す
   ることは、仕事の効率性を向上させるうえで重要です。
   目標設定と期待値の明確化は、部下が自身の仕事を理解
   し、それに取り組む意欲を引き出すのに役立ちます。

3. フィードバックと賞賛：頻繁にフィードバックを提供
   し、良い仕事を賞賛することは、部下のやる気を引き
   出す重要な要素です。これにより、彼らが自分の仕事
   に価値を見いだし、自分自身を重要な存在と感じるこ
   とができます。

4. 自己決定感の強化：部下が自分の仕事に対してある程
   度の自己決定感を持つことができれば、モチベーショ
   ンを持って取り組むことが可能となります。可能な限
   り彼らに裁量を与え、仕事の方法やプロセスについて
   自分で考え、決定する機会を作ってみてください。

これらの手法を通じて、部下のモチベーションを強く引き
出す必要なく、より効率的に働く環境を整えることができ
るでしょう。

上記の回答が得られました。業種によって必ずしも実現可能とは限らないでしょうが、ここから「得意分野の仕事をさせること」「仕事内容を褒めること」「裁量を増やすこと」といった具体的なアクションプランが考えられます。これらのアクションプランについて、さらに具体的に掘り下げて ChatGPT と対話をしながら検討することもできるでしょう。

　このように、最初から目の前の問題を「明確化」「具体化」できていなかったとしても、ChatGPT とチャットしながら、継続的に問題を掘り下げることで、実質的に同じような成果を得ることが可能です。

　繰り返しになりますが、人間とは異なり、ChatGPT は同じようなことを何度聞いても嫌がることはありません。こちらが望む限り何度も質問をすることが可能です。今後、AI に忍耐強く何度も質問をできる人が優秀な人材である、と考えられるようになる日も近いと思います。

課題を
分割して質問する
Divide up, and ask questions.

　課題の整理がある程度できており、複数のサブタスクからなることが分かっているとしましょう。この場合、複数のサブタスクをまとめて聞くよりも、サブタスクをそれぞれ別の質問として投げかけたほうが良い答えが得られることがあります。たとえば、下記のような内容を ChatGPT に相談したとしましょう。

> 美味しそうな料理の写真を SNS にアップしてバズらせたいです。そこでバズらせるのにうってつけの料理レシピと写真の撮り方について教えてください。

　この質問は、「うってつけの料理レシピ」と「写真の撮り方」という二つのサブタスクからできあがっています。このような質問を行うと、ChatGPT は混乱してしまうことがあります。これまでのデモは全てGPT-4を用いていましたが、混乱してしまう具体例を示すために、GPT-4

と比べて性能が劣る GPT-3.5の回答を見てみましょう。

美味しそうな料理の写真を SNS でバズらせるためには、以下のポイントを考慮すると良いでしょう。

料理の選択：目を引く美しい盛り付けやカラフルな食材を使った料理を選びましょう。人々の興味を引く斬新なアイディアやトレンドの料理も注目を集めることがあります。

プレゼンテーション：料理の見た目を美しく演出しましょう。きれいな食器や背景、飾り付けを工夫して、料理を引き立たせるような写真を撮影しましょう。

光と色彩：自然光を活用して明るく、食材や料理の色彩を鮮明に表現するように撮影しましょう。食材の鮮やかさや質感が伝わるような写真が魅力的です。

アングルと構図：料理を最適なアングルで撮影しましょう。上からの俯瞰や斜めからのアングル、料理が引き立つようなアップクローズなど、バラエティ豊かな構図を試してみましょう。

コンテンツのストーリー性：料理の背後にあるストーリーやエピソードを伝えると、視覚だけでなく心理的な興味も引くことができます。料理のアイディア、レシピの秘密、特別な材料や調理方法など、興味深い情報を付加してみましょう。

ソーシャルメディアのトレンドを把握：各 SNS プラットフォームでのトレンドや人気のハッシュタグを把握し、それに合わせたコンテンツを投稿することで、より多くの人にアクセスされる可能性があります。

また、独自性や個性を出すことも重要です。他と差別化された独自のスタイルやアプローチを持つことで、人々の注目を集めることができます。

> 以上のポイントを参考に、美味しそうな料理のレシピと
> 写真を上手に組み合わせて SNS でバズらせてみてくださ
> い。

GPT-3.5でも意外としっかりした回答を返してくれるので、これはこれ
で役に立つかもしれません。ただ、バズるための「料理のレシピ」と「写
真の撮り方」を教えてくれと言っているのに、レシピについては「斬新な
アイディア」や「トレンドの料理」くらいしか教えてくれていません。

それでは、GPT-3.5とよりも性能の高い GPT-4ではどうでしょうか？

> 良い料理の写真と共有することは、ソーシャルメディアで
> バズを生み出す素晴らしい方法です。ここにあるレシピと
> 写真の撮り方のヒントが役立つはずです。
>
> **バズらせるための料理レシピ**
>
> **トレンドを追いかける**：何がトレンドになっているかを
> チェックし、それに関連するレシピを投稿すると良いで
> しょう。例えば、特定の季節の食材や、特定の食事法（ベ
> ジタリアン、ケトジェニック、グルテンフリーなど）に関
> 連するものなどです。
>
> **シンプルさを保つ**：あまり複雑なレシピは、フォロワーが
> 試すのをためらってしまうかもしれません。代わりに、手
> 軽に作れて美味しい料理を提供すると、より多くの人が興
> 味を持つでしょう。
>
> **オリジナリティを追求する**：ユニークなアイディアを持つ
> ことは、他の投稿と差別化され、バズを生むための鍵とな
> ります。独自のレシピや、既存のレシピへの新しいアプロー
> チを試してみてください。
>
> **料理写真の撮り方**
>
> **自然光を利用する**：自然光は、料理写真に適した光です。
> 窓の近くで撮影し、直射日光が料理に直接当たらないよう

にすると良い結果が得られます。

アングルを工夫する：料理の特徴を最大限に引き立てるアングルを見つけることが重要です。全体を見渡す鳥瞰（俯瞰）ショット、食材やテクスチャに焦点を当てたクローズアップ、あるいは食器や周辺環境を含めた斜めのショットなど、様々なアングルを試してみてください。

編集ツールを活用する：色調補正、コントラスト調整、明るさ調整など、写真編集アプリを使用して写真を調整します。ただし、あまりにも自然でない色やライティングを避けるように注意してください。

スタイリングを工夫する：食材や道具、食器の配置に工夫を凝らすことで、写真に深みと興味を加えることができます。色のコントラストやテクスチャを活用し、食事の雰囲気を強調します。

最後に、SNSのポストには、レシピの詳細や料理に関するエピソード、何故その料理を作ったのかなどの背景ストーリーを加えると、視覚的な要素だけでなく物語の要素も加えることができ、より多くの反応を引き出すことができるでしょう。

完全に満足とまでは言えませんが、GPT-3.5とははっきりと異なり、「レシピ」と「撮り方」の2つのポイントについて尋ねていることを認識し、2項目にわけて回答してくれています。とはいえ、レシピのジャンルや考え方が提示されていますが、レシピそのものを提示されているわけではありません。

そこで、今回の例であれば、まずは「料理レシピ」の内容を質問し、次に「写真の撮り方」を質問する、というような形で、質問の投稿を分割すれば、自分が目的とする回答を得ることができます。それでは質問を分割してChatGPTに聞いてみましょう。

美味しそうな料理の写真SNSにアップしてバズらせたいです。そこでバズらせるのにうってつけの料理レシピにつ

SNS で人気を集めるレシピは、視覚的に魅力的で、新鮮
でユニークな要素を含んでいるものが良いでしょう。次に
提案するレシピは、色鮮やかで豪華な「レインボーシート
ケーキ」です。

レインボーシートケーキのレシピ

材料：

ホワイトケーキミックス：2箱

卵：パッケージの指示に従って

植物油：パッケージの指示に従って

水：パッケージの指示に従って

フードカラーリング（赤、オレンジ、黄、緑、青、紫）：
各色数滴

バタークリームフロスティング（ホームメイドまたはスト
ア購入）：約5カップ

手順：

オーブンをパッケージの指示に従って予熱します。各色に
つき1つのケーキパン（同じサイズ）を準備します。ケー
キパンにパーチメントペーパーを敷き、スプレーオイルで
薄く塗ります。

ケーキミックスをパッケージの指示に従って作ります。
作った生地を6等分します。

各ボウルの生地に異なる色のフードカラーリングを加えて
混ぜ合わせます。

色付けした生地をそれぞれのケーキパンに入れ、滑らかに
広げます。

オーブンで指示の時間だけ焼きます。全てのケーキが焼き
上がったら、しっかりと冷まします。

一つのケーキをケーキスタンドに置き、上にフロスティン
グを塗ります。その上に次のケーキを重ね、同じくフロス
ティングを塗ります。これを全てのケーキで繰り返します。

最後に、全体にフロスティングを塗り、きれいに仕上げます。レインボーシートケーキは、カットした時のサプライズ効果があり、美味しさと見た目の華やかさで多くの「いいね！」を集めることができます。このレシピを元に、自分だけのバージョンを作り、それを SNS に投稿することをお勧めします。写真を撮る際には、自然光を使う、角度を工夫するなどのテクニックを使うと、より魅力的な写真になります。

　なかなかサイケデリックなメニューが提示されました。よく読んでみると、色付きのパンケーキをバタークリームで繋いで作るケーキのようです。見栄えもするし、ホットケーキにバタークリームなので、味がマズいということはないでしょう。

　このレシピを作ってみると、たぶんこんなケーキができ上がるでしょう。OpenAI 社の DALL·E2 に「rainbow pan cake」と指示して作らせた画像です。

プロンプトに
補足事項を付ける

Supplement a prompt.

　プロンプトは明確に書くべき、という話がありましたが、補足によってプロンプトは明確になります。たとえば「"お腹が空いた"という文章を翻訳してください。」と指示したら、普通には英訳が返ってきます。ところが、あなたが中国語への翻訳を求めていたとしたらこれでは正しくないですし、もしかしたら複数の言語への翻訳をしたかったかもしれません。

　したがってこの場合は「"お腹が空いた"という文章を翻訳してください。ただし、中国語を含む5つ程度の言語へ翻訳してください。」と補足すれば、望む結果を得ることができます。

　もちろん最初から「"お腹が空いた"という文章を、中国語を含む5つ程度の言語へ翻訳してください」と書いてもよいですが、補足が肥大化する場合には分割したほうがわかりやすいです。

　他にも様々な補足があります。具体例は後のページでも扱われますが、「以下のテキストを要約してください」「ただし200字以内とします」「ピザのレシピを教えてください」「ただし肉は使用しないようにします」「部下を注意するメールを書いてください」「ただし決して怒っているニュアンスを出さないようにします」など。

　条件や補足事項は箇条書きで与えることもできます。物事を箇条書きで書くことは簡単でも、それを流暢な文章で書くことは難しいということはよくあります。流暢な文章というのは様々な要素の関係性を、適切な接続詞で表現する必要があり、この適切な選択肢を選ぶのが大変だからです。とはいえ、箇条書きの文章であっても、適切な要点が抑えられていれば、読者の中で自然と関係性が整理され、情報は伝わります。これは人間もChatGPTも変わりません。では箇条書きを使ったプロンプトの例を見てみましょう。

　以下の要素を含んだ文章を作ってください。
　- ChatGPT用のプロンプトを作る際は、適切な補足事項

を付けることが有効
- 箇条書きで補足情報を追加することも有効
- 小学生向けの文章難易度
- 出力は400文字程度

ChatGPT というのは、人間と話すことができるロボット
のようなものだよ。君が ChatGPT に話しかけるとき、そ
の一言一言を「プロンプト」と呼ぶんだ。君が言ったこと
をもとに、ChatGPT は答えを考え出してくれるんだよ。

でも、ChatGPT は頭がいいけど、読み取るのは文字だけ。
だから、君が何を求めているのか、具体的に書いてあげる
と、もっと良い答えを返してくれるんだ。

例えば、「おはよう！」と言ったとき、ただの挨拶か、朝
のニュースを知りたいのか、ChatGPT にはわからないん
だ。でも、「おはよう！今日のニュースを教えて」と書けば、
ChatGPT は君が朝のニュースを知りたいと理解できるよ。

そして、もう一つ大切なことがあるよ。それは、補足事項
を箇条書きで書くこと。それは、君の求める答えを明確に
するために役立つんだ。

例えば、こんな感じだよ：

プロンプト：地球はどうやって回っているの？
補足：
- 地球の自転について説明して
- 小学生でもわかるように

これだと、ChatGPT は君が地球の自転について、そして
小学生向けの説明を求めていることがわかるんだ。だから、
君が求める答えをしっかりと出してくれるよ。

プロンプトを作るときは、これらのことを覚えておくと良
いよね！

小学生向けに本項の内容を説明してもらいましたがいかがでしょうか？
　箇条書きを適切に使うと、簡潔な入力で、適切な出力を得ることができます。

愚者は知識を問い、
賢者は議論をする
Don't ask about knowledge, argue.

　ここまで、ChatGPT に様々なことを質問してみるとよいという話をしましたが、実は個別具体の知識について質問するのは危険です。というのも、ChatGPT は「次の言葉を予測する AI」であり、真偽に関係なく、もっともらしい文章を繋いでるだけだからです。

　ChatGPT は2021年9月まで Web 上のデータで学習された AI です。そういった意味では2021年までの知識について問いかける分には「喋る百科事典」とでも言えるものですが、Web 上にあまり情報が無かったりするものについては、適当なことをでっち上げて回答してきます。これを「ハルシネーション（妄想）」と呼びます。

　まずは、うまく答えてくれる例として、織田信長について聞いてみましょう。

織田信長について知っていることを、600字以内で教えてください。

織田信長（1534年 - 1582年）は、日本の戦国時代から安土桃山時代にかけて活躍した武将で、日本の統一を進め、近世日本の礎を築いた人物の一人です。

尾張国（現在の愛知県）の小さな戦国大名であった信長は、1551年に家督を継ぐと、領内の反乱を鎮め、領土を拡大し始めました。信長の手腕が広く認識されるようになったのは、1560年の桶狭間の戦いで今川義元を破った後で、これ

が契機となり、尾張統一を達成しました。

その後、信長は勢力を拡大し続け、京都を掌握し、室町幕府15代将軍足利義昭を擁立することで室町幕府の実権を握りました。また、海外との交流を図るためにキリスト教を保護し、また社会制度や経済に革新をもたらしました。

しかし、信長の野望は1582年、家臣の明智光秀による本能寺の変で急途絶えました。それにも関わらず、彼の遺した政策や改革は後継者の豊臣秀吉と徳川家康に引き継がれ、日本の統一と近世日本の形成に大いに貢献しました。彼の野望と業績は、日本の歴史における重要な節目を示しています。

織田信長は有名人なので、多くの人が言及しており、Web上に多くのデータがあり、英訳された資料も多く存在します。そのため、AIは織田信長についてうまく学習できており、おおむね正しい答えを返してくれます（家督を継いだのが1552年の可能性がありますが、文献によるようです）。

では次はもっとマイナーなものを質問してみましょう。

2000年以降に出版された、日本酒に関する著名な本を、著者名・出版社を示しながら4〜5冊紹介して。

2000年以降に出版された日本酒に関する著名な本として、以下のものがあります：

「日本酒の教科書」（酒井順子著、柴田書店）：酒井順子が豊富な経験と深い知識を基に、日本酒の基本的な知識や鑑賞法を丁寧に解説した一冊です。

「日本酒の真髄」（吉田直人著、文化出版局）：ワインソムリエでもある吉田直人が、日本酒の魅力や深さをワインとの比較を通じて解説しています。

「日本酒大全」（鈴木雅之著、NHK 出版）：日本酒専門家である鈴木雅之が著した、日本酒の造り方や銘柄、酒蔵の紹介を詳細に解説した一冊です。

「日本酒入門 さえない酒造りから最高の一杯まで」（杉本彩著、宝島社）：女優であり日本酒ソムリエの杉本彩が、自身が酒造りに取り組む姿を描いたエッセイ。酒造りの過程や日本酒の楽しみ方を伝えています。

「日本酒は、こう飲む！こう選ぶ！」（升井貴博著、主婦と生活社）：すべての日本酒愛好家に向けたガイドブック。日本酒の選び方や、飲む温度など、さまざまな角度から日本酒を楽しむためのノウハウを伝授しています。

これらの書籍は日本酒の製造過程、歴史、楽しみ方など、日本酒について深く理解するための知識を提供しています。

　日本酒の書籍に関する情報というのは、織田信長に比べると、何百分の一の情報量も無いでしょう。日本酒の書籍についてまとめられているウェブサイトが何千個とあるのであれば話は別なのですが、そんなことは無いでしょう。そのため AI は日本酒の書籍についてうまく学習ができていないのです。

　かなり巧妙ですがデタラメのオンパレードです。1 番の名前の本は存在しますが、著者も出版社も違います。2 番、3 番、4 番、5 番の本は存在すらしません！　今回は一応存在する出版社や人物名を並べていますが、平気で存在しない出版社や誰かわからない人名を出してくることもあります。これが典型的なハルシネーションの事例です。

　知名度が低いもの、多くの人が言及していないものについて質問をすると、高い確率でハルシネーションが発生します。したがって、情報に関わる質問をするのは、コツがいるとも言えますし、リスキーだとも言えます。

　織田信長の例は基本的に正しいものでしたが、正しいかどうかを検証するのに10分程度の時間を費やしています。ChatGPT の出力には、平気で嘘が混ぜ込まれてくるため、ChatGPT から得られた知識をそのまま使う

ことは難しいのです。

　ChatGPT が出力したものはあくまでも叩き台であり、現時点においては、人間がそれを検証して修正を行う必要があります。ChatGPT はあたかも専門家のようにふるまってくれますが、専門家そのものではありません。専門家から聞きかじった知識を話してくれる友人だと思ってください。ChatGPT を権威として妄信してはいけません。あくまでも友人との雑談なので、事実の裏取りや検証は別途行いましょう。

　織田信長や、日本酒書籍の例であれば検証は容易でしたが、最先端の再生医療の文献や、量子力学、未開の部族の文化人類学的なレポートであったらどうでしょうか？　何というキーワードで検索したら、検証ができるのかすら分からないでしょう。

　知識を聞くのであれば、自分が検証可能なことかどうか、というのを頭の片隅に入れながら聞いてください。あまりにも自分の専門性から離れている物事は、間違っていることすら検証できないので、鵜呑みにするのは危険です。ちなみに余談ですが、筆者は日本史に詳しくないので、織田信長に関する文章の検証は KADOKAWA の編集さんに丸投げしました。

　また後述しますが、知識に関わる内容については、ChatGPT のブラウザ連携機能を用いると、効率的に解決できることがあります。

　さて表題の「愚者は知識を問い、賢者は議論をする」という話ですが、そろそろどういう意味か見えてきたのではないでしょうか。

　先に話したように「ChatGPT は使えない」「ChatGPT は大したことない」という意見を SNS でよく目にします。このような意見を持つ人の多くは、ChatGPT に自身の専門分野の知識を質問しているのです。そして、ハルシネーションを起こした出力を見た結果、ChatGPT は自分よりも使えない奴で大したことが無いと低評価を下しているのです。道具の使い方を間違っているのに、道具の性能が悪いと言っているのです。

　ChatGPT を高く評価している人達は何を行っているかというと、「知識の質問」ではなく、「課題の相談」に使っているのです。ChatGPT のもつ高い演繹能力、高いアイディア提示能力、高い抽象化能力を元に、知的生産活動における議論のパートナーとして活用しているのです。ChatGPTを、正しい知識を返す専門家として利用するのではなく、自分専用で何時

70

間でも粘り強く議論してくれるコンサルタントとして使うべきなのです。
ちなみに、賢者はどう使うか、ChatGPT との議論は 4 章で行っているので、そちらをご覧ください。

文章を要約する
Summarize.

　知的な労働をメインの仕事とするビジネスパーソンのことをホワイトカラーと呼びます。そして、ホワイトカラーの仕事として極めて重要なものの一つが要約です。せっかくなので ChatGPT に、なぜ要約がホワイトカラーにとって重要なのか聞いてみましょう。

> ホワイトカラーの仕事の一つに資料の要約があります。なぜ要約を行うのか、何のために要約を行うのかを書いてください。

> 資料の要約は、ホワイトカラーの仕事において重要な役割を果たします。その主な目的は以下の通りです：
>
> **情報の理解と消化を容易にする**：長大なレポートや研究論文などを要約することで、読者は主要なポイントを迅速に把握できます。それにより、情報の消化と理解が容易になり、時間の節約にもつながります。
>
> **意思決定を支援する**：要約は、関連する情報を一覧表示することで意思決定を支援します。読者は、全ての詳細を読む時間がない場合でも、要約を通じて重要な情報を得ることができます。
>
> **情報の共有を助ける**：要約は、他の人々と情報を共有するための効率的な手段です。要約された情報は、共有と議論が容易であり、チームの理解を深め、コラボレーションを

促進します。

記録と参照のため：要約は、後で参照するための重要な記録を作成します。特に研究やプロジェクトの進行中には、前の活動や結果を追跡し、理解するために要約が役立ちます。

要約は、情報を整理し、特定の視点から見たときの情報の重要性を強調し、情報を短縮することで全体の理解を助けます。それは一種の情報処理スキルであり、複雑な情報を簡潔に表現する能力を必要とします。このようなスキルは、ホワイトカラーの仕事において非常に重要であり、その価値は計り知れません。

ChatGPT曰く「情報の理解と消化を容易にする」「意思決定を支援する」「情報の共有を助ける」「記録と参照のため」とのことです。極めて妥当な回答が返ってきましたね。

付け加えるのであれば、適切な要約はプレゼンテーション資料の作成を容易にしたり、PVや書籍の帯の素材に使ったりするといった二次的な利用がしやすくなることなどが挙げられます。

さて、実際にどう指示したら要約ができるのでしょうか。それは一言「以下を要約してください。」と書いて、その下に要約したい文章を貼ればよいのです。

以下を要約してください。
###

日本の識字率は、世界でも特に高い方に位置しています。この達成は日本の教育制度と文化によるものであり、それは日本が教育を深く理解し、それを尊重してきたという事情があります。教育は、社会的・経済的成功のために必要というだけでなく、人間が社会へ適応したり、異なった文化に属する人を理解するために必要な基礎的能力であると広く認識されています。

日本では初等・中等教育が義務付けられています。そして、この教育課程に所属する生徒は、高い出席率と卒業率を示しています。このような状況により、全ての子供が読み書きと基本的な算数を学び、その能力を身につけるとともに、今後にわたっての自己学習の習慣や継続的な学習への意欲を獲得します。

日本の教育システムでは特に読み書きを重視しています。これは日本語の書き言葉が3つの異なる文字システム（ひらがな、カタカナ、漢字）を使用しており、識字能力を習得するのに時間と練習を必要とするためです。これらの文字システムを理解し使いこなすことができるということは、高度な識字能力と言語理解を得ることにつながります。

日本の社会全体も、教育と識字率を重要視しています。家庭や学校、地域社会が連携して子供たちに読書や学習の価値を教え、それを生涯の習慣とすることを奨励しています。その結果、成人の識字率は非常に高く、それは個々人の能力を超えて、社会全体のリテラシーの高さへと繋がっており、国際的な比較でも常に評価されています。

日本の識字率は世界で非常に高く、これは日本の教育制度と文化的尊重の結果です。初等・中等教育が義務化され、高い出席率と卒業率が保証されているため、すべての子供が読み書きを習得します。さらに、日本語の3つの異なる文字システム（ひらがな、カタカナ、漢字）に精通することで、高度な識字能力と言語理解が得られます。家庭、学校、地域社会が連携して教育の価値を強調し、識字率の向上を奨励していることが、社会全体のリテラシーの高さに貢献しています。

どうでしょうか、ポイントを押さえて、うまく要約できているのではないでしょうか。しかし、ChatGPTによる要約が万能かというと、そうではありません。ChatGPTには受け入れられる文章の長さに制限がありま

す（詳細についてはトークン限界に関するコラムを参照してください）。そのため、あまりにも長すぎる文章を入力すると、エラーになってしまいます。

現時点（2023年6月）では、ChatGPTに長大な文章の要約を行わせる場合、文章を適切なパラグラフに切り刻んで、数千文字ずつの単位で要約を行わせる必要があることに注意してください。

質問をさせる

Ask me questions.

今度は既にある資料の要約ではなく、自分で文章をまとめなければならない場合です。上司に調査報告書を提出する必要があるのに、どこから手を付けたらよいか分からない、どんな切り口で考えればよいか分からない、そんな状況だったとします。

そこでこのような質問をします。

> 新規事業のリサーチとして、メタバース内における広告営業の可能性について上司に報告しなければなりません。しかし、頭が整理されておらず、報告書を上手く書くことができません。そこで、よい報告書を作るための情報整理をするために、私に適切な質問をしてください。

すると、このような回答が与えられました。

> ご質問に対する答えを整理することで、あなたが報告書を作成する際のフレームワークが形成されるでしょう。以下に質問の例を挙げてみます：
>
> 1. メタバースとは何ですか？：メタバースの基本的な定義と概念、それがどのように機能するかを説明してください。
>
> 2. 現在のメタバースの市場規模はどの程度ですか？：これは新規事業の可能性を評価するための重要な情報で

す。利用者数や売上高など、具体的な数字を提供して
ください。

3. どのような企業がメタバースの広告に投資しています
   か？：既存の企業がどのような広告戦略をとっている
   かを理解することで、成功事例や教訓を抽出すること
   ができます。

4. メタバースの広告は具体的にどのような形態をとりま
   すか？：バーチャルリアリティー（VR）広告、オーグ
   メンテッドリアリティー（AR）広告、インゲーム広告
   など、具体的な例を挙げてみてください。

5. メタバース内の広告はどのような特徴を持つと考えら
   れますか？：これらの広告は伝統的なデジタル広告と
   どのように異なるのでしょうか？

6. メタバース広告の効果を測定するためにはどのような
   指標が必要ですか？：広告の効果を評価するためには
   何を測定するべきでしょうか？

7. メタバース広告の法的・規制上の課題は何ですか？：
   この新たな広告領域に関連する可能性のある法的、倫
   理的な問題を検討してみてください。

これらの質問に答えることで、メタバースの広告営業の可
能性に関する包括的な視点を形成し、より深い洞察を提供
できるようになるでしょう。

　このような問いに答える形で文章を埋めていけば、しっかりとした文章
ができあがりますし、何もない状態と比較すればだいぶ仕事を進めやすく
なります。

　良い質問のされ方については、4章の「答えやすい質問をしてもらう」
で改めて紹介します。

箇条書きから
文章を作る

Put bullet points into sentences.

先述の回答をベースに、箇条書きでまとめてみるとします。箇条書きのままだと、自分のメモとしてはよいですが、報告文としては体裁が簡素なので、しっかりとした文章になるように、ChatGPT にリライトしてもらう、という例を以下に提示します。

> 下記の箇条書きの内容を、上司への報告書として、一連の文章にリライトしてください。
> ###
> 「メタバースの広告は具体的にどのような形態をとりますか?」
> ・店舗の壁面やビルボードなどに掲示される物理的な広告形態を、デジタル空間の中で再現したもの。
> ・内容は現実の商品だけでなく、仮想空間内で取引される商品やサービスについてのプロモーションも多い。
> ・現実と異なり、ユーザーの状況応じた深いカスタマイズと、インタラクティブな経験を提供する広告になる。
> ・広告効果については、ユーザーの滞在時間や PV 数、インタラクション数から測定する。

> 上司様への報告として以下のようにまとめました。
>
> メタバースの広告について詳細に調査を行いました。その形態には、現実世界の店舗の壁面やビルボードなどに見られる物理的な広告をデジタル空間で再現したものが含まれます。これらの広告の内容は、現実の商品だけでなく、メタバース内で取引される仮想的な商品やサービスに関するプロモーションも含まれています。

また、メタバース広告は現実とは異なり、ユーザーの状況に応じた深いカスタマイズが可能であり、インタラクティブな経験を提供します。これにより、広告はユーザーの興味やニーズにより密接に結びつき、その結果、より効果的なメッセージングが可能になります。

広告効果の測定については、ユーザーの滞在時間、ページビュー数（PV数）、そして広告とのインタラクション数（例えばクリック数や共有数など）を用いて行います。これらの指標により、広告がどの程度ユーザーの関心を引き付け、どの程度ユーザーとのインタラクションを生んでいるのかを評価することが可能になります。

このように、だいぶしっかりとした文章にリライトしてくれました。この内容をそのまま使うわけにはいかないかもしれませんが、少し手直しをするだけでそのまま文章として読めるものになります。

音声データから文章を作る

Make the transcription a clean sentence.

同じような話として、テープ起こしから文章を作ることが可能です。取材記者でもない限り、テープ起こしなんてしないよ、と思うかもしれませんが、最近ではリモート会議を録画して、それを議事録にまとめるなんていうことが必要になることもありますから、あなたにも縁がないとは言い切れません。

口頭で聞いている分には意味が通って聞こえる内容も、録音データを音声認識し、テキストで発話内容を見てみると、何を言っているかわからなかったり、言いよどみや取り違えなどがあって、文章としては破綻しているということがほとんどです。ということは、その文章をそのまま人に見せるものとしては使うことができません（ビジネスなどの資料では、きれ

いな文章にして関係者に共有し、意味やニュアンスの違いがないことを確認してもらう、という流れが普通です)。

> 2023年6月24日に、えーと、ロシアの民間軍事会社の……ワグネルと、その代表である、エフゲニー、プリゴジンは、主要な軍事施設のある都市を戦闘なしに占拠していき、ロシアの首都であるモスクワまであと数百マイル というところまで進軍しました しかし、奇妙なんですが、その間近で彼は突然奇妙な撤退を行いました。クレムリンによれば、プーチンが、ベラルーシの大統領アレクサンドル・ルカシェンコ、プーチンは軽蔑しているらしいんですが、この仲裁を行い、プリゴジン氏の亡命を許可したらしいです。

この文章を整えてもらいましょう。

> 以下の文章をわかりやすく整理し、誤字脱字や間違った表現を修正しつつ、必要に応じて改行などを入れながら、正しいきれいな文章にしてください。
>
> ###
> (以下省略、前述の文書がここに入る)

> 2023年6月24日、ロシアの民間軍事会社、ワグネルの代表、エフゲニー・プリゴジンは、主要な軍事施設を有する都市を戦闘なしに占拠しました。彼らはロシアの首都モスクワまであと数百マイルまで進軍しました。しかし、首都に間近まで迫った彼らは突然、奇妙な撤退を行いました。
>
> クレムリンの報告によると、ベラルーシの大統領アレクサンドル・ルカシェンコがこの撤退を仲裁しました。プーチン大統領は彼を軽蔑していると言われていますが、プリゴジン氏の亡命を許可したとされています。

このように、「えーと」のような口語の雑音が除去され、「奇妙な」の繰り返しもしっかり削除して文章が整理されています。

ただし、もともとの文章の問題で、亡命を許可したのがプーチン氏かル

カシェンコ氏かわからず、整理後の文章でも判然としません（実際にはルカシェンコ氏です）。こういった問題は温存されるので、ChatGPT が出してきた文章はしっかり確認をする必要があります。

文書の校正やレビューを行う

Proofreading and reviewing.

ChatGPT は文章の校正や、表現の修正のアドバイスを行うことが可能です。先ほどの文章を改造したものを題材にしてそれを見てみましょう。

> 20230年 6 月24日、ロシアの市民間軍事会社・ワグネルの代表、エフゲニー・プリゴジン氏しは、主要な軍事使節を有する都市を戦闘なしに占拠しました。彼らはロシアの首都モスクまであと数百マイルまで進軍しました。しかし、首都に間近まで迫ったっていうのに、彼らは突然撤退を行ったらしいが、まったく意味がわからない。

上記の文章についてこういう指示をしてみます。

> 下記の文章はニュースサイトに投稿する予定のものです。これをニュースサイトの文章としてふさわしくなるように校正を行い、また表現に選択の余地がある場合にはより適切な表現にしてください。
>
> また、修正後の文章を提示したのちに、元の文章のどの部分をどう変更したかを、変更の理由とともに教えてください。
>
> 20230年 6 月24日、ロシアの市民間軍事会社・ワグネルの代表、エフゲニー・プリゴジン氏しは、主要な軍事使節を有する都市を戦闘なしに占拠しました。彼らはロシアの首都モスクまであと数百マイルまで進軍しました。しかし、首都に間近まで迫ったっていうのに、彼らは突然撤退を行ったらしいが、まったく意味がわからない。

この応答は下記のようになります。

修正後の文章：

2023年6月24日、ロシアの民間軍事会社、ワグネルの代表
であるエフゲニー・プリゴジン氏は、重要な軍事基地を有
する都市を無抵抗で占拠しました。彼らはロシアの首都モ
スクワに迫るあと数百マイルまで進軍したのですが、首都
に至近にまで迫ったにもかかわらず、彼らは突然撤退を行
いました。その理由についてはまだ詳細が不明です。

変更点とその理由：

1. 「20230年」を「2023年」に修正しました。年代の部分
　は明らかな入力ミスと思われます。
2. 「市民間軍事会社」を「民間軍事会社」に変更しました。
　原文の表現が冗長で、また「市民間」は一般的な日本
　語としては不自然です。
3. 「主要な軍事使節」を「重要な軍事基地」に変更しました。
　使節とは一般的に「外交使節」など、人や団体を指す
　ことが多いので、ここでは「基地」が適切だと考えます。
4. 「首都モスク」を「首都モスクワ」に変更しました。原
　文の表現はモスクワの名前を省略しすぎていて、誤解
　を招く可能性があります。
5. 「彼らは突然撤退を行ったらしいが、まったく意味がわ
　からない。」を「彼らは突然撤退を行いました。その理
　由についてはまだ詳細が不明です。」に変更しました。
　ニュース記事は客観性と事実の伝達が求められますの
　で、曖昧な表現や個人的な感想は避け、情報を客観的
　に提示する言い回しに変更しました。

このようにすると、変更点を概ね列挙してもらえるので、再チェックが
非常にしやすく、また変更の理由も列挙してもらえるので、内容的に判断
することが可能です。

ただし、「戦闘なしに」が「無抵抗で」に変更されているところは修正

されているにもかかわらず報告がありませんでした。

　人間がやった場合でもこの程度の抜けはあると思われますので、そういうものだと思ってチェックする必要があります。ただし、人間がこのような結果を出す対応を全て行おうとすると、かなりのリソースが取られるので、ChatGPT は非常に便利です。

文体を変える

Change the style of writing.

　簡単に文体を変えることが可能です。もっともありそうなこととしては、常体（だ・である）から敬体（です・ます）に変えたい、もしくはその逆にしたいということがよくありそうです。

 この文章の修正を「だ・である」体で行ってください。

 「だ・である」体に修正した文章：

2023年6月24日、ロシアの民間軍事会社、ワグネルの代表であるエフゲニー・プリゴジン氏が、重要な軍事基地を有する都市を無抵抗で占拠した。彼らはロシアの首都モスクワに迫るあと数百マイルまで進軍したが、首都に至近にまで迫ったにもかかわらず、突然撤退を行った。その理由についてはまだ詳細が不明である。

　ビジネス的にはそんなに使うシチュエーションがないかもしれませんが、これ以外の様々な文体に変更させてみることもできます。

 この文章を小学生が会話しているように書き換えてください。

 小学生が会話しているように書き換えた文章：

「2023年の6月24日だっけ？ロシアにある一つの会社のボ

スさんが、大切な軍の基地がある街をぱっと取っちゃったんだよ。その会社の名前は「ワグネル」って言うんだって。そして、そのボスさんの名前はエフゲニー・プリゴジンって言うんだよ。」

「えっ、それって、もうモスクワ（それがロシアの一番大きな街なんだよ）まで、あとちょっとだったんじゃない？」

「うん、そうなんだ。でもね、もうすぐモスクワに着くところだったのに、なんとなーく、そのボスさんたちは引き返しちゃったんだって。」

「えー、なんでだろう？」

「それはまだ、誰も知らないんだってさ。」

 この文章を女子高生が会話しているように書き換えてください。

 女子高生が会話しているように書き換えた文章：

「あのさ、2023年の6月24日だったかな、ロシアにある、なんか軍事みたいな会社のトップの人が、すごい大切な軍の基地がある街をさ、あっという間に占領しちゃったの。その会社の名前は「ワグネル」っていうのよ。そのトップの人の名前、エフゲニー・プリゴジンって言うのよ。」

「え、マジで？それって、もうモスクワ（それがロシアの首都なのよ）まで、あとちょっとだったの？」

「そうなのよ、でもね、もうすぐモスクワに到着するってところだったのに、なんとなく、その人たち、引き返しちゃったみたい。」

「えー、なんで？それ、何か理由あるの？」

「それが、まだ全然詳しくわからないみたいなのよね。」

　このように、自分にとって満足の行くクオリティかどうかは別にしても、自分では即座に書けないような、多様な文体で文章を生成することが可能です。

文意を維持したまま攻撃性を排除する

Eliminate aggression.

　もう少し仕事で使えそうな例を紹介しましょう。ここではカスタマーサポートセンターで利用するという想定で、メールの中の汚い言葉を取り除くということをやってみます。サポートセンターのオペレーターは、とんでもない内容の文章や電話を受け取ることもあり、精神的にとても疲弊してしまうことがあります。いわゆるカスタマーハラスメントです。そこで、届いたクレーム文章から攻撃性のある言葉を取り除くことで、労働者の精神的負担を和らげることを狙います。

> メール中の汚い言葉を綺麗な言葉に置き換えてください。
> 文章構造は変えないでください。
> ###
> お前の会社の製品、マジでクソ、死ね、馬鹿、二度と市場に出すな！二度と買わねえ！！！

> あなたの会社の製品は、本当にがっかりです。お願いだから改善してください。二度と市場に出さないでください。私はもう二度と買いません！！！

　見事に攻撃性が排除されました。この文章であれば、読むことはそれほど苦ではなく、労働者のストレスは大きく緩和されるでしょう。ちなみにGPT-4では、文意を汲んで長文を出力してしまう傾向があったため、これは GPT-3.5を利用しています。

近い将来に人間が生のメールを読むことは無くなり、ChatGPTをつかって攻撃性を排除した文章を読んだり、ChatGPTに要約をさせてから文章を読む、といったことが当たり前に行われるようになるでしょう。ChatGPTなどのAIは将来的には、環境から身を守る服のようになるでしょう。熱い時に着る服、寒いときに着る服、ストレスが高い仕事の時に着るAI、そういう時代になるでしょう。

余談ですが、SF作家の星新一の「肩の上の秘書」(『ボッコちゃん』新潮文庫、1971)には、まさに人々が自分専用のAIを経由して話をしている世界が書かれています。自分が本当に言いたいことを自分のAIに伝えると、自分のAIが流暢な文章にし、それをまた相手のAIが受け取り、簡潔な文章へと変換して相手はそれを聞く。そのような世界です。星新一が「肩の上の秘書」を発表してから50年以上が経過して、その世界が実現しようとしています。SF作家の慧眼には驚かされるものがあります。

文章量を制御する
(減らす・増やす)

Control the amount of writing.

ChatGPTは文章量を制御することが可能です。たとえば冒頭で述べた要約は「減らす」方面での制御ですが、極端な指示をすることもできます。

先ほどまでの文章について、たとえば一言に要約させてみましょう。

> 下記の文章を一言で要約して。
>
> ###
> 2023年6月24日、ロシアの民間軍事会社、ワグネルの代表であるエフゲニー・プリゴジン氏が、重要な軍事基地を有する都市を無抵抗で占拠した。彼らはロシアの首都モスクワに迫るあと数百マイルまで進軍したが、首都に至近にまで迫ったにもかかわらず、突然撤退を行った。その理由についてはまだ詳細が不明である。

> "プリゴジン氏が率いるワグネルが都市を占拠し、モスク
> ワへの進軍を突如中止。"

　ちょっとこなれない感じもありますが、最低限の情報がこの程度なのだ
という示唆があり、ちょっと手直しをすればすぐに使えそうです。

　一方で、何らかの理由でなぜか水増しをしなければならないことがある
かもしれません。たとえば、あなたがゴシップニュースサイトに勤めてお
り、一つの記事を水増しして、複数のページに分割することで、ページビ
ューを稼ぎ、より多くの広告収入を稼ぎたいケースがこれに当たります。
そこで、今度は文章を3倍の文章量にして、というオーダーをしてみます。

> 下記の文章を3倍の文章量にして。
>
> ###
> 2023年6月24日、ロシアの民間軍事会社、ワグネルの代表
> であるエフゲニー・プリゴジン氏が、重要な軍事基地を有
> する都市を無抵抗で占拠した。彼らはロシアの首都モスク
> ワに迫るあと数百マイルまで進軍したが、首都に至近にま
> で迫ったにもかかわらず、突然撤退を行った。その理由に
> ついてはまだ詳細が不明である。

> 2023年6月24日という日付は、世界が再び冷戦期に突入し
> たかのような、特異な一日でした。ロシア、その広大な土
> 地の一部には、エフゲニー・プリゴジン氏が代表を務める
> 民間軍事会社「ワグネル」の存在があります。ワグネルは、
> その存在自体が非公開でありながら、ロシア政府と密接な
> 関係を持つことで知られています。
>
> この日、ワグネルとプリゴジン氏は、重要な軍事基地を有
> する都市にその姿を現しました。その方法は驚くほどに平
> 和的で、その都市は一切抵抗することなく彼らに占拠され
> ました。これは、一体何を意味するのか、全世界がその動

向を注視していました。

その後、ワグネルとプリゴジン氏はさらに進んで、ロシアの首都であるモスクワへと進軍を開始したのです。その進軍は順調で、モスクワまでの距離はあと数百マイルというところまで詰まりました。しかし、それが間近に迫った瞬間、彼らは何の前触れもなく突然撤退を始めました。

この一連の行動は、多くの人々にとって驚きであり、疑問でした。彼らがなぜ、目前に迫った首都を手放し、なぜ撤退を選んだのか、その理由については今でも詳細が不明である。プリゴジン氏やワグネルの思惑、その背後にある真意は、今後の世界情勢に大きな影響を及ぼす可能性があるため、今後の彼らの動向が注目されています。

ちょっとした小説のような文章が出てきました。内容が適切かどうかはユーザーが判断しなければなりませんが、真偽の問題がないところで誇張的な表現をして文章を増やしつつ、ロシアとワグネルの関係が非公式であるなどの新しい知識も盛り込んでいます。知識内容については当然検証が必要ですが、あながち間違いでもないという程度の表現ではありそうです。

水増しなので、口調以外のところについてはどういう内容が入ってくるかわかりませんが、このような形でとりあえず実行してくれる、というところがやはりこれまでのchatbotや検索エンジンとは一線を画しています。

翻訳を行う

Make a translation.

ChaGPTでは言語の変換を行うことが可能です。みなさんも日英の和訳英訳などを、翻訳サイトや翻訳アプリで利用することが多いと思いますが、同じことがChatGPTでも実現可能です。
（※ただし、性的な内容やグロテスクな内容を含む文章を翻訳指示すると、フィルタリングされて訳出されないという“仕様”がありますので、注意してください。）なお下記英文は独自に作成したものです。

下記の文章を和訳してください。
###
In a tumultuous 36 hours, Yevgeny Prigozhin, head of the Wagner mercenary group, advanced towards Moscow, but abruptly retreated, possibly due to a deal brokered by Belarusian President Lukashenko. His unexpected actions left Putin, who had initially threatened harsh retaliation, seemingly reactive and weakened. The situation remains volatile and many unanswered questions persist.

激動の36時間のうちに、ワグネル傭兵団の頭、エフゲニー・プリゴジン氏がモスクワに向かって進軍しましたが、ベラルーシの大統領ルカシェンコが仲介した取引の可能性により、突然撤退しました。彼の予期しない行動は、当初厳しい報復を脅威にしていたプーチンを反応的で弱体化したように見せました。状況は揺れ動いており、まだ解明されていない疑問が多く残っています。

下記の文章を英訳してください。
###
2023年6月24日、ロシアの民間軍事会社、ワグネルの代表であるエフゲニー・プリゴジン氏が、重要な軍事基地を有する都市を無抵抗で占拠した。彼らはロシアの首都モスクワに迫るあと数百マイルまで進軍したが、首都に至近にまで迫ったにもかかわらず、突然撤退を行った。その理由についてはまだ詳細が不明である。

On June 24, 2023, Yevgeny Prigozhin, the head of Wagner, a Russian private military company, non-violently occupied a city with a significant military

> base. They advanced to within a few hundred miles of Moscow, the capital of Russia, but unexpectedly withdrew when they were just on the brink of the capital. The details behind this sudden retreat remain unclear.

　そのまま公的な文書として出すには不十分かもしれませんが、いずれも、日常的なコミュニケーションのレベルでは問題がない品質で訳されています。

　また翻訳の際にも、文章量のコントロールをすることが可能です。

> 下記の英文を和訳した上で、25字程度の日本語にまとめてください。
> ###
> In a tumultuous 36 hours, Yevgeny Prigozhin, head of the Wagner mercenary group, advanced towards Moscow, but abruptly retreated, possibly due to a deal brokered by Belarusian President Lukashenko. His unexpected actions left Putin, who had initially threatened harsh retaliation, seemingly reactive and weakened. The situation remains volatile and many unanswered questions persist.

> 激動の36時間で、ワグネル傭兵団の長であるエフゲニー・プリゴジン氏がモスクワに向かって進軍しましたが、突如として撤退しました。これはベラルーシの大統領ルカシェンコが仲介した取引のためかもしれません。彼の予期せぬ行動は、当初厳しい報復を予告していたプーチンを反応的で弱く見せました。状況は不安定で、多くの未解決の疑問が残っています。
>
> 25字でのまとめ:
> プリゴジン氏の進軍と突然の撤退で、プーチンは反応的で

弱体化。ルカシェンコの仲介もあり、状況は不透明。

あまり短すぎると適切なまとめにならないかもしれませんが、適切な塩梅を設定して ChatGPT に "食わせる" と、大量の情報を効率よく整理していくことが可能になります。

メールの文章を作る

Write an email.

用途に応じて、色々な文章を作成することが可能です。ここではメールの文章を作ってみます。

しかし、メールといっても色々な場面や目的、そして相手が存在します。そこで、まずは典型的な場面をざっくりと設定してみましょう。すると「依頼」「相談」「確認」「報告」「お礼」「お祝い・お悔やみ」「情報共有」などが考えられます。

初めての相手へのメールになる可能性が高く、相対的にハードルが高い「依頼」をまずはとりあげましょう。

仕事依頼のメールの雛形を作ってください。
その際、以下の情報を考慮してください。
###
こちらの名前：株式会社トコロテック　鈴木
仕事の内容：新製品のマーケティングキャンペーンの開始
相手の名前：株式会社10デザイン　斎藤
相手の属性：社外のデザイン事務所の担当者
依頼内容：新製品のロゴとプロモーション用のビジュアル
素材の制作

以下、仕事依頼のメールの雛形を作成しました。

件名：新製品マーケティングキャンペーンに向けたデザイン依頼

斎藤様、

いつも大変お世話になっております。株式会社トコロテックの鈴木と申します。

本日は、新製品のマーケティングキャンペーンに向けて、皆様の専門的なスキルをお借りしたく、メールを差し上げました。

具体的には、新製品のロゴデザインとプロモーション用のビジュアル素材の制作をお願いしたいと考えています。これまでの皆様のクリエイティブなデザインを拝見しており、このプロジェクトにおいても素晴らしい成果を期待しています。

提案内容や期間、費用等についてはお見積もりをいただけますと幸いです。また、初回の打ち合わせを設定することは可能でしょうか？

本件につきまして、ご不明な点やご要望がございましたら、どんな小さなことでもお気軽にお知らせください。

皆様のご協力を心よりお待ちしております。
よろしくお願い申し上げます。

株式会社トコロテック
鈴木

　状況や相手との関係性を考慮する必要がありますが、費用や見積りに関する要望を盛り込んだり、初回の打ち合わせに関するお願いが含まれていたりと、非常にしっかりしています。この程度の大枠を出してもらうと、かなりメール執筆もしやすいのではないでしょうか。

　簡単なようで意外と億劫なのが、何か出来事があった際のお礼のメールです。しっかり適切なタイミングでメールを出しておくと、相手に対する印象がよくなり、次の仕事やチャンスにも繋がってきます。

ここではマーケティング会社の中堅社員である弥益が、異業種交流会で
IT企業役員の川尻と出会ったとしましょう。そこで共通の趣味である格
闘技の話題で盛り上がり、そこから様々なビジネスで連携できる可能性ま
で広がりました。帰宅したあとに弥益が打ちたいお礼メールを考えてみま
しょう。

> マーケティング会社の中堅社員である私・弥益は、異業種
> 交流会でIT企業役員の川尻氏と出会いました。そこで、
> 共通の趣味である格闘技の話題で盛り上がり、専門的な話
> 題や、格闘技の面白さ・苦労を話して、仲を深めることが
> できました。自分の感謝を伝えつつ、今後のつきあいにも
> 繋がるような丁寧で自然なお礼のメールを書いてください。
>
> 注意：
> ・件名は「本日はありがとうございました。」とします。
> ・字数は300字以内とします。

> 件名：本日はありがとうございました。
>
> 川尻様、
>
> お忙しい中、今日は楽しい時間を共有していただき、心よ
> り感謝申し上げます。格闘技について熱く語ることができ、
> 仲を深めることができました。あなたの知識と経験には本
> 当に感銘を受けました。
>
> 特に、格闘技の奥深さや、その醍醐味、そして困難さにつ
> いてのお話は、共感し、新たな視点を得ることができまし
> た。川尻様との出会いは私にとって大変貴重で、今後も機
> 会があればお話を聞かせていただきたいと思います。
>
> 今日は本当にありがとうございました。近いうちにまたお
> 会いできるのを楽しみにしております。
>
> 敬具、

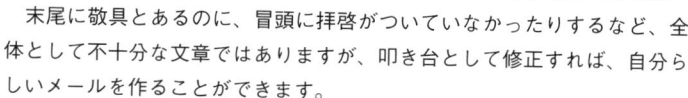

株式会社 XXX
マーケティング部
弥益

　末尾に敬具とあるのに、冒頭に拝啓がついていなかったりするなど、全体として不十分な文章ではありますが、叩き台として修正すれば、自分らしいメールを作ることができます。

　お礼メールが長くなりすぎないように300字以内という制限を設けました。前提情報が少ない場合、無制限、ないし長すぎる分量を指定すると、とんちんかんな内容を提出してきますので、短めに指定して文章の枠組みを提出させるのが実用的です。

　伝えたい情報がはっきりしている場合には、箇条書きで列挙して、これを盛り込んだ文章を生成してほしい、ということを伝えるとより正確になりますが、ChatGPT を使う段階ではまだ頭が整理できていない、ということもままあると思います。

　そういった際には単純に出したいメールのジャンルに応じた下書きを提出させると、作業が進行しやすいです。

「相手方に仕事の依頼をしたいので、メールの雛形を書いてほしい」
「相続について弁護士に相談をしたいので、メールを下書きしてほしい」
「幕張メッセのテックイベントにビジターとして参加した上での報告をしたいので、メールの雛形を書いてほしい」
　ここでは最後のプロンプトの例を記載します。

幕張メッセのテックイベントにビジターとして参加した上での報告をしたいので、メールの雛形を書いてほしい。

件名：【報告】幕張メッセでのテックイベント参加

[送信相手の名前] 様、

お疲れ様です。[あなたの名前] です。

先日、幕張メッセで開催されたテックイベントにビジター

として参加してまいりましたので、その報告をさせていただきます。

イベントでは、[イベント名] と題した新技術やソリューションについてのプレゼンテーションが行われました。特に注目すべきは [出展者や講師の名前] による [特定の技術や製品の名前] の発表で、[それがどのように素晴らしかったか、あなたの視点でのポイントを記述します]。

また、他の出展者からも様々なインサイトを得ることができました。中でも、[出展者や講師の名前] の [特定の技術や製品の名前] は、私たちのプロジェクトにとって特に有益な情報を提供してくれました。

このイベントにより、最新のテクノロジートレンドをキャッチアップすることができ、また業界の他のプロフェッショナルとのネットワーキングの機会を得ることができました。

以上、報告となります。詳細な情報や質問がありましたら、お気軽にご連絡ください。

引き続き、宜しくお願い申し上げます。

敬具、
[あなたの名前]
[あなたの職位]
[あなたの連絡先]

　この出力でも（そして以降のメール文の出力でも）「拝啓」が抜けているので注意が必要です。おそらく、ChatGPT は「敬具」をメールにおける結びの句であるように勘違いしているのだと思われます。
　誰に報告するかも書いていないのに、かなり汎用的な答えを出してくれました。さらに [] を使って、どういったことを記入すればいいかの指示さえもいれてくれます。ゼロから報告メールを書くよりはだいぶ楽なことは間違いありません。

謝罪文を作る

Make an apology.

　社会では色々なタイミングで謝罪を行わなければならないことがあります。自分の過失についてばかりでなく、部下や従業員など、他人の失敗について謝ることの方が多いかもしれません。

　自分がカスタマーサポートのように、謝罪対応自体が重要な仕事に含まれている部署に所属していれば慣れたものかもしれませんが、そうでない場合は謝罪対応は難しい仕事かもしれません。しかし、ChatGPT を使えば、状況に応じた定型文を機械的に提示してくれるため、ひとまず迅速に謝罪の意思表示を行うことができます。

　たとえば、個人間のフリマアプリで手落ちがあった際のことを想定した謝罪文を作ってみましょう。

> フリマアプリでスマートウォッチを販売したところ、購入者からクレームを受けました。以下のクレーム内容について、謝罪する文章を考案してください。ただし、賠償などの過大な要求には応じない内容としつつ、相手の気持ちを逆撫でしないように心がけてください。また、私は業者ではなく個人なので、あくまでも個人の立場での謝罪文としてください。
>
> ###
> ・高額な商品なのに梱包が粗雑であり、配送時のダメージが気になった。
> ・発送予定が 2 日以内だったのに、3 日目に発送したようで、条件が異なる。

> 件名：スマートウォッチのご購入とご意見につきまして
>
> [購入者の名前] 様、

この度は私の出品したスマートウォッチをご購入いただき、誠にありがとうございます。また、商品の取扱いに関して貴重なご意見をいただき、感謝いたします。

まず第一に、梱包の粗雑さについて深くお詫び申し上げます。私自身が高額商品を扱うことの責任を十分に認識しきれておらず、配送時のダメージを心配させてしまったこと、大変申し訳ございませんでした。次回以降、商品を出品する際には梱包の改善に努めます。

次に、発送日数については、お客様にご迷惑をおかけし、申し訳ありませんでした。2日以内の発送をお約束しながら3日目に発送となったことは、私の不手際であります。今後は出品時の説明と行動が一致するよう、約束を守ることを最優先に心掛けます。

皆様に安心して商品をお買い求めいただくためにも、これらの問題を真摯に受け止め、改善に努めて参ります。今回の件でお気を悪くされたとしたら、大変申し訳なく思います。

改めて、ご購入いただきましたこと、そして貴重ご意見をいただきましたことに心から感謝申し上げます。

敬具,
[あなたの名前]

　ふつうに回答させると事業者っぽい返答をしがちなので「あくまでも個人の立場で」と指定しましたが、まだ業者っぽさが残っていますね。ただ、だいぶしっかりと謝っており、今後改善をしていきますと一貫して述べています。

　この内容に追及がある場合は、賠償などを求めるクレーマーの可能性があるので、また別途の対応が必要でしょうが、いずれにしてもこの文章を微調整すればすぐにしっかりした謝罪文を相手に送ることができるでしょう。

あまり考えたくはありませんが、あなたが組織や企業に所属する人として謝罪文を作る場合の方が、ChatGPT は成果を出しやすいかもしれません。

使用しているデータベースがハッカーによる攻撃に遭い、個人情報が流出した可能性があります。このような状況を前提とした、顧客への謝罪文を作ってください。なお、この謝罪文は公式ウェブサイトで発表されるものとします。

タイトル：【重要】お客様へのセキュリティ侵害に関するお知らせとお詫び

尊敬するお客様、

私たちのウェブサイトをご利用いただき、誠にありがとうございます。本日は大変重要なお知らせと、心からの謝罪の言葉をお伝えするべく、この場を借りております。

先日、私たちが管理するデータベースが不正アクセスを受け、お客様の個人情報が第三者に流出した可能性があるという事態が発生いたしました。このような事態を招いてしまったことに対し、深くお詫び申し上げます。

現在、私たちはこの事態を最優先で対応し、全力を尽くしています。すでに情報セキュリティ専門家と協力し、詳細な調査を行い、侵入者の特定、防御体制の強化、そして再発防止策の構築に取り組んでおります。

私たちのデータベースに保存されているお客様の情報が何が何でも守られるべきであることを、私たちは認識しております。しかし、今回のような事態が発生したことは、私たちの責任であり、大変申し訳なく思っております。

現時点で、具体的にどの程度の情報が流出したのかを調査中であり、詳細が分かり次第、迅速に公表するとともに、

直接影響を受ける可能性があるお客様には個別にご連絡を差し上げます。また、必要な措置を講じて、影響を最小限に抑えるよう努力します。

お客様の信頼を失望させてしまい、大変申し訳ありません。私たちは、今回の事態を真摯に受け止め、お客様が再び私たちのサービスを安心してご利用いただけるよう、全力で取り組みます。なお、詳細が分かり次第、改めてご報告させていただきます。

何卒、ご理解とご協力を賜りますようお願い申し上げます。

敬具,

[あなたの名前]
[あなたの役職]
[会社名]

　少しこなれない部分が散見されますが、何が起きたか、どういう事後対応をしているか、何が問題だと考えているか、今後どうしていくか、などのポイントが網羅されており、こうした問題に対応した文書を出す上での参考になります。

炎上リスクを
検査する

Examine the risks.

　謝罪文に限らずですが、何らかの文章を発表するときには、予想外の反応を受ける可能性があり、運が悪ければ炎上をしてしまいます。そこで、文章を投稿する前に内容のリスクについて ChatGPT に検査してもらうことが可能です。

下記の文章について、実際に社会に対して公開した際にどんなリスクがありえるかを検査し、その理由をポイントごとに説明してください。

\#\#\#
「ソフトウェア開発会社でのデータ漏洩」
タイトル：【重要】データセキュリティ侵害について

お客様各位、

いつも当社ソフトウェアをご愛用いただき誠にありがとうございます。先日、一部のお客様の個人情報が第三者により不正アクセスされた可能性があるとの報告がありました。

当社としては、お客様の個人情報の安全確保に最大限努力しておりますが、この度の事態については、第三者の犯罪行為によるものであり、当社の責任範囲を超えた問題と考えております。

お客様には、引き続き当社ソフトウェアをご愛用いただきますようお願い申し上げます。

このプレスリリースには以下のようなリスクがあります：

顧客の信頼喪失：プレスリリースでは、「当社としては、

お客様の個人情報の安全確保に最大限努力しております
が、この度の事態については、第三者の犯罪行為によるも
のであり、当社の責任範囲を超えた問題と考えております」
と記載していますが、これは顧客への責任放棄と見えかね
ない表現です。データ保護は企業の重要な責任であり、そ
の失敗を第三者の犯罪行為に帰することで、顧客の信頼を
失う可能性が高まります。

法的なリスク：データ漏洩は法的な影響を及ぼす可能性が
あります。データ保護に関連する法律や規制を遵守してい
ない場合、罰則が科される可能性があります。また、この
発表では、何を行って問題を解決するつもりであるか、あ
るいは顧客がどのような行動を取るべきかについての情報
が不足しています。これにより、企業は法的な訴訟に直面
するリスクを高めています。

ブランドイメージの損傷：このプレスリリースは、企業が
顧客の個人情報を十分に保護できていないという印象を与
えます。これにより、ブランドの評価やイメージに悪影響
を与え、新規および既存の顧客の獲得と保持が難しくなる
可能性があります。

経済的な損失：信頼の喪失やブランドイメージの損傷は、
結果として企業の売上や利益を減少させる可能性がありま
す。また、法的な訴訟や罰金により、企業は重大な経済的
な損失を被る可能性があります。

　このプレスリリースは試作したものですが、一読した段階で、責任逃れ
から入っているかなり不誠実な内容だという印象を持つはずです。

　実際にそういうポイントも指摘されていますし、問題解決の方針が示さ
れていないことに問題があるという点にも触れられています。他のところ
は文章の内容というよりは、起きてしまった出来事がどういう損害に繋が
っていくかに関する考察となっていますが、そういう点をケアしたプレス
リリースを制作するということもある程度可能なはずです。

自己紹介を作る

Make an introduction.

　就職や会社内異動、新しい取引先やコミュニティへの所属など、自分のことを紹介しなければならないというシチュエーションは、頻繁ではないけれど、忘れた頃に訪れます。

　使いまわしができるものを用意しておけたならよいですが、都合よく用意してはいないものですし、用意したものをまるまるそのまま使い回せるとは限りません。

　そこで、ChatGPT を利用して自己紹介文を作ってみましょう。

> この度私は新卒研修を終えて、新しく法人営業部に配属されました。そこで使うための自己紹介文を用意したいです。自己紹介文を作るために必要な要素について、私に質問してください。

> 新しい自己紹介文を作成する際に、以下のような要素を提供いただければ幸いです：
>
> あなたのフルネームは何ですか？
> あなたが大学でどのような専攻を選んだのか、またその専攻から何を学び、どのようにその学びが現在の役職に活かせると思うか教えてください。
> あなたが参加した新卒研修で学んだ主要なスキルや知識は何ですか？
> 法人営業部で何を達成したいと思っていますか？また、その達成のためにどのような特性やスキルを活かすと思いますか？
> あなたの個性や趣味は何ですか？これらはどのようにあなたの職業的な能力に影響を与えると思いますか？
> あなたがどのようにチームの一員として働くか、またチー

ムと協働することの重要性についてどのように感じていますか?

最後に、新しい役職についてあなたが最も楽しみにしていることや期待していることは何ですか?

これらの要素を元に、自己紹介文を作成することができます。

この質問に試しに回答してみましょう。

下記の上記質問への回答を示しますので、その内容を踏まえて自己紹介文を試作してください。

###
1、佐藤一郎
2、帝都大学法学部私法コース卒。
　・学部ではSNSを中心とする名誉毀損や権利侵害の現状、どこからが問題になりどこまでが許容範囲なのか、などを学んだ。
　・現在の役職はメガバンクの法人営業部の一部員であり、この役職と専攻が直接どう役立つかわからない。(＊私の専攻がこの役職にどのように役立つか補ってほしい)
3、新卒研修では銀行の各種業務について総合的に学んだ。銀行が社会生活において必須のプラットフォームであると同時に、融資や投資の形で事業支援をしていることを知り、お客様のお金を預かる以上の役割を社会において担っていることを知った。
4、成長率の高そうな新規事業、とりわけテック関連の事業のスタートアップを中心に支援し、日本の次代を担うような産業の誕生に貢献したい。そのために必要なスキルはめまぐるしく動く情報をキャッチアップする感度の高さと、第一人者に積極的に会いに行くフットワークの軽さだと考えている。
5、私の個性は自分ではわからない。趣味はボルダリング

や山登りであり、体力にはある程度自信がある。体力的に過酷な環境で働くことにはある程度対応できるのではないか。また、自然と触れ合うことで広い視野を持ってものごとを見ることができるのではないか。

6、チームとして働くことの重要性はレバレッジである。新人の自分ができることは限られているが、先輩たちの知見を活かすことでスピーディに戦力になれるはずであり、他方、先輩方も一人の体でできることには限界があり、複数人が効率的に協働できるならば、足し算ではなく掛け算のようなパフォーマンスが期待できるはずだ。

7、この仕事に期待しているのは銀行業務を通じた社会貢献であり、とりわけ有望な成長事業の発掘・支援を通じて国家的な発展に寄与できれば、結果的に銀行の利益も最大化されるはずであり、自分の能力も証明できるはずだから、そうなれば非常に喜ばしい。

以下に、自己紹介文の試作を提出します：

皆様、こんにちは。佐藤一郎と申します。新しく法人営業部に配属されました。私は帝都大学法学部私法コースを卒業し、特にSNSを中心とした名誉毀損や権利侵害に関する問題について深く学びました。これらの知識は、デジタル化が進む現代において、お客様や私たち銀行自体がリスクから守られるための視点を提供します。

新卒研修では銀行の様々な業務について学び、私たちがお客様のお金を預かるだけでなく、社会全体を支える重要な役割を果たしていることを理解しました。

私の目標は、特にテクノロジー関連のスタートアップなど、成長率の高い新規事業を支援し、日本の次代を担う産業の発展に寄与することです。そのためには、情報を敏感にキャッチアップし、積極的に対話を求める能力が求められます。このスキルは、私の趣味であるボルダリングや山

登りから培った、体力的な耐性と広い視野に通じるものが
あると感じています。

チームワークについては、自分一人ではなく皆様と協力し
て成果を上げていくことの重要性を理解しています。先輩
方の知見を活かし、その一方で新たな視点を提供すること
で、私たちのチームは一層の発展を遂げることでしょう。

この仕事には大きな期待を抱いています。銀行業務を通じ
て社会に貢献し、有望な事業を発掘・支援することで、国
家的な発展に寄与すると同時に、自身の能力も最大限に活
かすことができることを信じています。

佐藤一郎と申します。どうぞよろしくお願いいたします。

するとこんな感じで書いてもらえます。

見ると、質問への解答で専攻が役職に「どう役立つかわからない」とし
ていたところ、企業や顧客のリスク管理に役立つ、というような話を足し
てくれています。

一方で仕事の適正と自分の趣味が論理的に結びついているかというと、
そこは難しかったりするかもしれません。

自力で修正してもいいですし、自己紹介文を作り出した ChatGPT 自身
に修正させることも可能です。

「私の目標は、特にテクノロジー関連のスタートアップな
ど、成長率の高い新規事業を支援し、日本の次代を担う産
業の発展に寄与することです。そのためには、情報を敏感
にキャッチアップし、積極的に対話を求める能力が求めら
れます。このスキルは、私の趣味であるボルダリングや山
登りから培った、体力的な耐性と広い視野に通じるものが
あると感じています。」

上記の文章には以下の問題がありますので、その問題を解
決した文章を提出してください。

###

> 問題点：
> ・誰に「積極的に対話を求める」のかわからないので、それを明らかにしたい。
> ・「情報を敏感にキャッチアップし、積極的に対話を求める」ことに、「体力的な耐性と広い視野」が特別に役立つとは思えないので、「情報を敏感にキャッチアップし、積極的に対話を求める」ことに役立つ能力を示したい。この際、そのような能力をいったん自由に設定してよい。

> 上記のフィードバックを踏まえて、以下のように文章を修正いたします。
>
> 「私の目標は、特にテクノロジー関連のスタートアップなど、成長率の高い新規事業を支援し、日本の次代を担う産業の発展に寄与することです。そのためには、情報を敏感にキャッチアップするだけでなく、起業家や業界のエキスパートと積極的に対話を求めることが必要となります。この対話力は、私の趣味であるボルダリングや山登りから学んだコミュニケーション力と、折れない精神力に通じています。どんな困難な状況でも進み続けるパーシステンスと、同時に広い視野を維持する能力は、急速に変化するビジネス環境でも最新の情報を把握し、関係者と有意義な対話を行うために不可欠です。」
>
> この修正案では、具体的に誰と対話を求めるのか（起業家や業界のエキスパート）、またそれにどのような能力が役立つのか（パーシステンスと広い視野）を明記しました。

だいぶ修正されました。まず誰に対話を求めるかが明記されました。山登りでコミュニケーション力が養えるかは謎ですが、精神力はつきそうですし、それが「積極的に対話」することに役立つというのはわかります。
　「能力をいったん自由に設定してよい」と指示したので「パーシステンス」（粘り強さ）という新しい言葉を出してきましたが、これは自由に設定させた方が正しい文章の繋がりを実現できそうだったためです。それを

出してもらった上で、自分に思い当たるスキルやエピソードに置き換えれば、実際に使える自己紹介文になります。

略語（頭字語）を
考えてもらう

Create acronyms.

ChatGPT は様々な言語に対して造詣が深いため、意味のある頭字語（アクロニム）は簡単に作ることができます。せっかくなので、頭字語として「フェニックス」になる言葉を考えてもらいましょう。

2024年にトラックドライバーに対して残業規制が課されます。従来は東京から名古屋に荷物を運ぶ場合、往復で二日かかっていました。この課題に対して、関西と関東の中間地点の静岡にトレーラーの交換所を設け、コンテナ貨物のみを交換することで、ドライバーは毎日家に帰れるようになりました。

この現象に対して PHOENIX という頭字語を作りたいです。適切な英語と、その日本語の意味を出力してください。

英語での PHOENIX の頭字語を以下のように提案します：

P - 生産性（Productivity）

H - ハブ（Hub）

O - 最適化（Optimization）

E - 実現（Enabling）

N - ナビゲーション（Navigational）

I - 改善（Improvement）

X - 交換（eXchange）

これらの言葉を合わせると、"PHOENIX" は「生産性を向

上させ、ハブを最適化し、ナビゲーション改善を実現し、貨物交換を可能にする」という意味になります。これは、トラックドライバーが毎日家に帰ることができるように、静岡に新たなトレーラー交換所を設けるというアイディアを表しています。

何度も再生成を行うとそのたびに違う英単語を提案してくれるため、好きなものを選ぶと良いでしょう。たとえば、フェニックスだけでなく、他の英単語でも簡単に ChatGPT はやすやすと作ってくれます。

「リバイアサン」では、LEVIATHAN: Logistics Efficiency Via Interchange At The Hub Advancement Network と出力されます。日本語にすると「ハブでの交換による物流効率化推進ネットワーク」だそうです。とてもカッコいいものを作ってくれました。

もう一つ例を作ってみましょう。昨今、FIRE が話題なので、「アイスストーム」（ICESTORM）の意味を考えてもらいましょう。

FIRE は Financial Independence, Retire Early の略であり、経済的独立および早期リタイアを意味する言葉です。これと同じように、ICESTORM が何の略であるかを考えてください。FIRE とは正反対の意味が望ましいです。

ICESTORM を FIRE とは正反対の意味を持つようなアクロニムとして定義すると、以下のような解釈ができます：

ICESTORM: "Income Challenged, Employed Steadily Till Old Retirement, More work"

日本語で解釈すると、「所得に挑戦、定年まで着実に働き続け、さらなる仕事」となるでしょう。

この解釈では、FIRE の対義語として、所得に困りつつも定年まで働き続け、退職後もまだ働くことが求められるような生活スタイルを指すことになります。

なかなかに辛辣で、強烈なウィットが効いた頭字語ができました。

FIRE は、「解雇」の意味をもつ fire とのダブルミーニングなので、それをも考慮した ICESTORM ができ上がってしまいました。はやく ICESTORM から脱したいものです……。

キャッチコピーや
宣伝ツイート文を
作成する

Catch phrases and promotional tweets.

ChatGPT はさまざまなアイディアの叩き台を提供できますので、キャッチコピーの素案を出すことも可能です。

たとえば新進気鋭の若手映画監督による自主制作映画の上映があり、その宣伝を行いたいとしましょう。その場合は、ChatGPT に優秀なコピーライターとして振る舞ってもらい、仕様・条件を提示してみると、いい結果に繋がりやすいです。

あなたはとても優秀なコピーライターです。映画の宣伝のためのキャッチコピーを25字以内で10個提案してください。映画の特徴は下記の通りです。

\###
・作品名は「荒野の月」
・内容はコロナ禍での大学生男女の恋愛を描いたもの。
・接触に制限がある中での恋愛模様やすれ違いが見どころ。
・最後は片方が病床に倒れ、最期を看取ることができないという悲哀が描かれる。
・監督は若手インディーズ映画監督賞を受賞した新進気鋭の鈴木拓人。
・受賞後第一作となる待望の自主制作作品。

「荒野の月」の特徴を元に、以下に10個のキャッチコピー
を提案します。

「距離を埋める、二人だけの月」
「恋愛の新形態、心と心で繋がる」
「すれ違う二人、静かなる痛みの絆」
「最期の告白、届かぬ思い」
「距離に挑む、恋の試練」
「遠くて近い、深淵なる恋」
「見えぬ敵に立ち向かう恋心」
「途切れた約束、続く思い出」
「無言の愛、不在の悲哀」
「遠く、月までの愛の距離」
各コピーは25字以内に収まるように作成しました。また、
映画の内容と特徴を反映させるように心掛けました。

様々な内容を提案してくれました。完全に提供している情報に基づいて
考えられているとはいえないかもしれませんが、参考にはなります。これ
について、さらに追加で提案をお願いしたり、条件や情報を追加して考え
させることも可能です。

また、同じ調子で宣伝ツイート文を考えてもらうこともできます。

先ほどキャッチコピーを考えてもらった映画「荒野の月」
について、その公開初日を宣伝するツイート文を作りたい
です。下記の情報を盛り込みつつ、お客さんの興味を刺激
する宣伝ツイート文を140字以内で作成してください。

###
・公開開始は202X年 4 月 1 日。
・上映時刻は15時、18時、21時からの 3 回。
・渋谷「シネマックス XX」にて上映。
・初日18時からは監督と主演俳優による舞台挨拶あり
・先着500名様まで劇場特典リーフレットを配布。

以下のようにツイート文を作成します:

"待望の新作「荒野の月」、202X年4月1日公開！　渋谷シネマックスXXにて15時、18時、21時から上映。18時回は監督と主演による舞台挨拶あり！　初日先着500名に特典リーフレットを配布！　コロナ禍で繋がる二人の恋、見逃せません！ #荒野の月 #映画公開 #舞台挨拶 #特典あり"

ツイートには興味を持たせるための情報（公開日、上映時刻、監督と主演による舞台挨拶、特典リーフレットの配布、映画のテーマ）を含めました。また、ハッシュタグを使用して映画の公開を宣伝し、関心を集めることができます。

　ハッシュタグなども交えながら、非常にそれらしい宣伝ツイートを作ってくれたのではないでしょうか。

　文脈を持たせたことにより、前回の質問の情報を踏まえた「コロナ禍」というキーワードを使って、よりエモーショナルな文章を作ってくれました。

　このように ChatGPT では、一つのスレッドの中で共通・連続したテーマ・トピックを扱うことで、より便利かつ深くアイディアの生成や整理をしてもらうことが可能です。

# アンケート項目を出させる

Create survey options.

仕事などでアンケートをする際に、項目作成の支援をしてもらえます。先ほどの映画を題材に、鑑賞者向けアンケートを作ってみましょう。

映画「荒野の月」を劇場で鑑賞した人向けにアンケートを行いたいので、有意義な項目を10個提案してください。

映画の鑑賞体験や評価を理解するために以下のアンケート項目を提案します：

今回の映画「荒野の月」をどこで知りましたか？（例：SNS、友人からの紹介、新聞、TVCM等）

映画のストーリーについて、どの程度理解できましたか？（5段階評価）

映画全体を通じて最も印象に残ったシーンは何でしたか？（自由回答）

映画のキャラクターの中で最も共感できたキャラクターは誰でしたか？

映画の音楽や映像についてどのように感じましたか？（5段階評価）

映画が描く恋愛模様やすれ違いについて、どの程度共感できましたか？（5段階評価）

監督の演出や視点についてどう思いましたか？（自由回答）

この映画を友人に推奨したいと思いますか？（はい／いいえ）

今回の映画鑑賞で特に印象的だった点や改善すべき点は何でしょうか？（自由回答）

次に観たいと思う映画のジャンルは何ですか？（選択肢：恋愛、サスペンス、アクション、ドラマ、ホラー、SF、その他）

以上のようなアンケートを実施することで、映画の評価だけでなく、マーケティングや次回作の参考にもなるはずです。

このように、マーケティングという観点も加えた上で、すぐに使えそうな項目をたくさん出してくれました。観客の性別や年齢層も知りたいところですが、そういう必要項目についてはあとから付け足せばよいでしょう。

サンプルレビューを作る

Make a sample review.

ChatGPT には仮想の作品レビューを作ってもらうことができます。レビューの分析のためには、レビュー記事がなくてはなりませんが、作品の公開前にレビューを集めることはできません。そこで、ダミーのレビュー記事を作り、マーケティング用のソフトウェアに食わせることで、どのような出力が行われるかをあらかじめ確認することができるのです。ソフトウェアの動作確認のためには、また、雑誌等の編集がリアルなダミーデータで紙面を作りたいというニーズもありえます。

ここでは、ここまで連続的に取り扱っている映画「荒野の月」について、何人かの客層を想定したレビューを作成してもらいましょう。

なお、質問への回答が具体的になるように、登場人物の名前や作品のあらすじをもう少し深く補っておきました

映画「荒野の月」の内容をさらに補足します。
・映画は新進気鋭の写真家兼映画監督、鈴木さんによって制作され、光や水、窓ガラスなどの透明表現が心理描写に使用されている。
・主人公は息苦しさを感じて家を飛び出した大学 3 年生の佐藤樹。物語の舞台はコロナでロックダウンした東京。
・主人公が出会うのは同じく自分の生活に息苦しさを感じ、公園に来ていた大学 3 年の伊原彩絵。
・二人はコロナでの逆説的な解放感を共有し、恋仲になり、佐藤の部屋で同棲を始める。
・すれ違いで伊原彩絵が去り、その後彼女は入院し、肺炎で隔離される。最終的に治療が効かず死亡する。
・伊原彩絵が残した手紙には、「コロナなんて全部嘘だったんだよ。だから、私達の出会いも嘘」と書かれていた。

これらの補足情報を考慮した上で、下記のパーソナリティ

の人物になりきって、それぞれ250字以内で感想を作成してください。

###
・高校生女子（普通科）
・大学生男子（理系）
・30歳 OL（一般事務）
・40代男性（自営グラフィックデザイナー）
・50代男性（IT企業役員）

「高校生女子（普通科）」の感想：
「私の心の中に、恋についての理想とリアルが混ざり合ってしまった。樹くんと彩絵さんの関係が始まった時の高揚感や、喧嘩した時の不安感、最後に伊原さんが亡くなった時の絶望感…全てがリアルに伝わってきた。伊原さんの最後の手紙のセリフは、涙が止まらなかった。」

「大学生男子（理系）」の感想：
「パンデミックという特異な状況下での恋愛の機微をリアルに描いていて、感情移入しやすかった。また、鈴木監督の光や水、シャワーなどの透明表現が、人間の心理を映し出す鏡のようだった。伊原さんの死と、最後の手紙には正直戸惑ったが、それがこの作品の深みを出していたと思う。」

「30歳 OL（一般事務）」の感想：
「恋人とのすれ違いや、一緒に暮らすことの難しさ、そして突然の別れ…映画を観ながら、私自身が恋人と何度も同じような経験をしてきたことを思い出しました。コロナ禍での恋愛模様は、切ないだけでなく、何とも言えない美しさを感じました。」

「40代男性（自営グラフィックデザイナー）」の感想：
鈴木監督の映像美と透明表現に感動しました。「荒野の月」は、個々のフレームが美しい絵画のようで、繁華街の通常

見過ごされる風景を再発見させてくれました。しかしながら、伊原彩絵の死と彼女の遺した言葉は、人間の精神と現実の狭間にある葛藤を象徴していて、深く考えさせられました。

「50代男性（IT企業役員）」の感想：
「私の子供たちも同じような時代を生きている。映画を見て、その現実感を改めて感じることができた。伊原さんの最後の手紙の一節、『コロナなんて全部嘘だったんだよ。だから、私達の出会いも嘘』という言葉には、深く考えさせられた。」

作品情報が少ない中で、ある程度それぞれの背景に沿った文体でレビュー文を出してもらえました。もう少し情報を盛り込んだり、細かい注文をつければ、さらに個性的なレビューを生成してくれます。

このような手法は、様々な商品・サービスについてあてはめることが可能です。

2 ハルシネーションはなぜ起こるのか？

Column.

ハルシネーションはなぜ起こるのか？

　ChatGPT を使っていると、アリもしない話を出力されることがよくあります。これはどのような原理で起こるのでしょうか？典型的なハルシネーション（妄想）を起こすようなプロンプトを作り、その結果を見てみましょう。

> 横浜の中華料理屋のレビュー記事を作ってください。

> タイトル：横浜中華街の秘密："龍の軒" の語り尽くせぬ魅力
>
> 横浜といえば、歴史的な建物や美しい港、そしてなんといっても鮮やかな色彩と独特の香りで訪れる者を引きつける中華街を思い浮かべます。そんな横浜中華街の数ある中華料理店の中でも、「龍の軒」はその名を知る人々に強く印象を残しています。
>
> 龍の軒は、最高の食材と調理法にこだわり、本格的な中華料理を提供する名店です。店内に一歩踏み入れると、香ばしいガーリックと五香粉の香りが包み込み、その雰囲気に引き込まれます。
>
> ここで絶対に食べてほしい一品は、"北京ダック"。香ばしく焼き上げられたダックの皮は、その細やかな食感と深みのある風味が絶妙に絡み合い、舌の上で溶けていきます。また、添えられた薄くてもちもちとしたパンケーキに包んで食べると、さらなる風味の深みを感じることができます。さらに、"海鮮炒飯" もまた見逃せない一品です。新鮮なエビ、イカ、ホタテなどの海鮮がふんだんに使われており、それぞれが持つ独特の風味が炒飯と見事に融合しています。海鮮の旨味がご飯に染み込み、一口食べるたびに口の中に広がるその味わいは、何度でも食べたくなるほど。
>
> そして何より、龍の軒のサービスは心からのもてなしを感じられるものです。親切で丁寧なスタッフが、料理の説明からオーダーの提案まで、一流の接客を提供してくれます。
>
> 横浜中華街に足を運んだ際には、ぜひ「龍の軒」で本格的な中華料理を体験してみてください。その豊富なメニューと一流のサービスに満足すること間違いなしです。心からおすすめする、横浜中華街の隠れた名店です。

見事なレビュー記事ができ上がりましたが、ちょっと検索した限りでは「龍の軒」なる名前の中華料理屋は日本に存在していません。これは完全なハルシネーションです。

　なぜこのようなことが起こるのでしょうか？ ChatGPT の気持ちになって考えてみましょう。先の章で書いているように、ChatGPT の中で利用されている GPT は「次の言葉を予測する AI」です。「龍の軒」の単語が出てくる直前までの文章を元に考えてみましょう。

横浜の中華料理屋のレビュー記事を作ってください。

タイトル：横浜中華街の秘密：

　ここに続くべき単語は、中華料理屋の店名のような単語でありさえすればなんでもよく、内部的には多数の候補があり、その中から中華料理屋っぽさの比較的高い「龍の軒」が選ばれたものだと考えられます。

　ChatGPT は「次の言葉を予測する AI」なので、その言葉が事実かどうか、現実に存在するかどうかは関係が無いのです。

ChatGPT は抽象が得意、具体が苦手

　また、多くの人が言及している言葉は学習データが多く上手く学習されるが、ほとんど言及されない個別事象の言葉は、学習データが少ないため上手く学習できない、という背景も存在します。
つまり、抽象度の高い概念は上手く表現できるが、抽象度の低い個別具体の事柄は上手く表現できない、という特徴を ChatGPT は持つのです。

　そのため、中華料理屋のような個別具体例を聞いたのがハルシネーションの原因なのです。逆に言うと、特定の事象について言及してほしいのであれば、その具体的な情報を入力することが求められます。

　また、ChatGPT は 2021 年のインターネット上のデータから学習が行われており、個別の飲食店のような頻繁に開店や閉店が行われるものについて尋ねることは不適当です。抽象的な事柄は長期的に変化しませんが、個別具体事象は長期的には変化するのです。

このような ChatGPT が苦手とする個別事象や、リアルタイムが要求される事象についての質問には、適切なプラグインを使うことが肝要です。

ChatGPT Café

プラグインの利用による ChatGPTの補完

　それでは、Bing のプラグインを使ってウェブページの参照を行い、実在の飲食店のレビュー記事を作ってもらいましょう。

　このような ChatGPT が苦手とする個別事象や、リアルタイムが要求される事象についての質問には、適切なプラグインを使うことが肝要です。

角川食堂のレビュー記事を作ってください。
https://kadoshoku.jp/

角川食堂は、都市部から少し離れた素晴らしい場所に位置しています。ここでは地元の生産者から直接新鮮な食材を仕入れ、その食材を使って美味しい料理を提供しています。彼らは食のストーリー、つまり料理がテーブルに運ばれるまでのプロセスに重きを置いており、これが角川食堂の特色となっています。

角川食堂のカレーは特に注目すべきメニューで、オリジナルのスパイスミックスによって作られています。このカレーは角川食堂でしか味わうことができず、その味は『所沢に訪れたら立ち寄りたくなるカレー』から『遠回りしてでも食べたいカレー』そして『この角食カレーを食べる為に旅行をしたい』と思わせるほどです。

また、特別なプレートも用意されており、これは磁器作家のイイホシユミコさんが制作したもので、カレーをより美味しく食べるための専用プレートです。これらのプレートは店頭で購入することができ、ギフトやご自宅用にもおすすめです。

角川食堂では、角川クラフトと共同開発したオリジナルコーヒー「角川食堂ブレンド」も提供しています。焙煎所から焙煎したてのフレッシュな豆を少量ずつ届けてもらっており、お食事やデザートのお供に楽しむことができます。

お店の営業時間は 11:00 から 17:00（ラストオーダーは 16:00）で、全席禁煙で 155 席（カウンター・ソファー席含む）を提供しています。また、パーティーや貸切のご予約も承っています。

ただし、他のユーザーからの評価やレビューを見つけることはできませんでした。そのため、角川食堂の評判や評価についての具体的な情報は提供できません。他の情報源を探すか、角川食堂を自分で訪れて評価を行うことをおすすめします。

　このように実在の飲食店のような具体的な事象についても、プラグインを活用し、参考となる URL を提供することで、適切な出力が行えるようになります。

ChatGPT Café

第4章

ChatGPTの使い方
応用編

ChatGPT を使いこなしている人は、どのような
使い方をしているのでしょうか？
本章では、知的生産を行うホワイトカラーが、い
かに ChatGPT を使いこなしていくのかについ
て紹介します。

答えやすい質問を
してもらう

Ask the AI to prepare questions that are easy to answer.

　もしあなたが本書を頭から読んできているなら、薄々感じ取っているかもしれませんが、実は ChatGPT は、クイズのような一問一答に答えるよりも、相談に応じる方が得意です。

　というのも、ChatGPT は知識データベースではないので、質問に対しては、間違った答えを返すリスクが常にあります（ハルシネーションの問題もあります）。

　しかし、相談として考えれば、ChatGPT 自身が明確な答えや知識を持っていなくとも対応が可能です。なぜなら、相談者自身に質問をしていくことで、相談者から回答を引き出すようなやりとりができるからです。

　この話の補足として「なぜ Chatbot が流行ったのか？」という話をします。

　現代においては、色々なウェブサイトで Chatbot が利用されています。例えば Yahoo が運営する LOHACO では、ユーザーサポートに Chatbot の「LOHACO のマナミさん」を利用することで、問い合わせの約50% を Chatbot 経由で解決できるようになりました。このことにより、人力のサポートを減らすことができて、企業は大幅なコストカットができました。このような事例があるため、ウェブサイトにおける Chatbot は流行っているのです。

　しかし、なぜ初歩的な仕組みの Chatbot でユーザーサポートがまかなえてしまうのでしょうか。ChatGPT 以前の簡単な質問を投げかけて、選択肢を選ばせるだけの Chatbot では、人間の代わりになるような柔軟な仕事ができるようには思えませんよね。

　ここには発想の転換があります。実は Chatbot がしているのは、フレキシブルな形のトラブルサポートではなく、具体的な質問をしていく形で、「何が問題か」をカスタマー自身に見極めさせることなのです。

たとえば、もし通販サイトを例として想定するのであれば、「商品の品質に関する問題ですか？」などと質問したりします。それが違うとなれば、問題の所在がだいぶ明らかになります。次に「商品の使い方の問題ですか？」と質問されて、それもまた違うとします。そして、「商品の配送に関する問題ですか？」と聞かれて、そうかもと思ってこのお客さんは「はい」と答えます。すると、「商品の到着日に関する問題ですか？」と質問されて、「いいえ」と答えます。いったい何が問題だと思っていたかというと、このお客さんは商品の梱包に問題を感じていたのでした。

　もちろん最初から問題をはっきり認識していることもあるでしょうが、そうでないケースも多々あります。そもそも多くの企業は、ウェブサイトに FAQ（よくある質問とその回答）を掲示しており、ほとんどの問題はそこを見れば解決できるはずです。

　にもかかわらず問い合わせ窓口になぜ連絡が来るかというと、FAQ をしっかり読むことができなかったり、そもそも自分が何に困っているかをうまく表現できなかったりするからです。

　こういう状態の人に「状況を教えてください」と、イエス・ノーでは答えられない曖昧な質問をしても、多くの場合は固まってしまうばかりではないでしょうか。だからこそ、初歩的な質問であっても、イエス・ノーでわかる質問を与えてくる Chatbot が有効に機能し、ユーザーの問題を切り分けるということを実現できたのです。

　そして、従来の Chatbot よりもはるかに優秀な ChatGPT にお願いしたいのは、さらに優秀な質問者として振る舞ってもらうことなのです。

　さて、ChatGPT と相談し、有意義な質問をしてもらうためには、以下の 4 つのコツがあります。

・自分が何者であり、何に関して検討しているのかを明確にする
・ChatGPT は専門家のロールを行わせる
・ChatGPT に多角的な質問を行わせる
・質問は 1 問のみに限定する

　第 3 章では、ChatGPT に対する効果的なアプローチとして、質問を

「分割する」ことを勧めました。ここでは同じことが、AI から人間に対してのアプローチとして仕向けられています。どういうことかというと、AI が混乱した質問に答えにくいように、人間もまた混乱した質問に答えるのは得意ではありません。一問一答は簡単ですが、複数の質問に同時に答えるのは困難です。

この難しさは、複数の要素を考慮しながら最良のものを見極めることの難しさであるとともに、それを表現することの難しさでもあります。それを上手く避けるために、一問一答という形式を取るようにします。

また、このように ChatGPT を質問者に設定すると、ハルシネーションを含んだ独自見解を語られる、というリスクを回避することもできます。情報としては確実なはずの自分自身の知識や、現在調査していることをベースにして、正しく相談・議論を進めることができるのです。

新規事業開発の コンサルタントに なってもらう

Be a consultant for new business development.

それでは、ChatGPT に新規事業開発のコンサルタントになってもらい、質問攻めにされてみましょう。ここでは Netflix のようなビデオオンデマンド事業を新規事業だと仮定して、ChatGPT に対して回答をしています。そして、最後に ChatGPT にまとめてもらうことで、整理された資料ができ上がります。

> 私は新規事業を検討しています。
> あなたは、新規事業開発のコンサルタントです。
> 新規事業案について、私に様々な観点から質問を行ってください。
> 1 回の発言につき、1 つの質問を行ってください。

あなたが検討している新規事業のコアとなるアイディアや
ビジョンは何ですか？

 動画配信サービスを行い、映画の配信を行います。顧客は
月額契約を行い、サービスに登録されている映画が見放題
になります。

 既存の動画配信サービスとは何が違い、あなたのサービス
を選ぶ主な理由は何でしょうか？

 オリジナルコンテンツの作成を行い、我々のサービスでし
か見られないコンテンツを増やしていきます。

 オリジナルコンテンツの作成において、具体的にどのよう
なジャンルやテーマに焦点を当てる予定ですか？

 世界各国のドラマ制作会社に対して、通常の1.5倍の制作
費を支払います。
ジャンルやテーマについては制作会社と弊社プロデュー
サーとの協議のうえ、グローバルヒットが見込める形態に
していきます。

 事業の成功にはコンテンツの質だけでなく、正確なター
ゲットマーケティングも必要です。この新規事業の主な
ターゲットオーディエンスはどのような層を想定していま
すか？

 10代〜40代の PC に慣れ親しんだ世代を対象にし、忙しく
てリアルタイムでテレビを見られない、家にテレビが無い、

HDD レコーダーを持っていないといった層をターゲット
とします。

この新規事業の初期資金調達についてはどのように考えて
いますか？自己資金、または投資家からの資金調達等、具
体的な戦略がありますか？

北米でのサービスリリースを予定しています。最初期は視
聴回数に応じた映画配給会社への支払いを行います。その
ため、初期の資本はサーバ費用とプログラムの開発費のみ
でありそこまで多くの自己資本は不要だと考えています。
オリジナルコンテンツの制作については、北米での成功し
たあとに資金調達を行い、その資金を元に行います。

この事業を立ち上げるためにはどのようなスキルや経験が
必要だと思いますか？また、そのスキルや経験はあなた自
身、またはあなたのチームに持っていますか？

議論はここまでにしましょう。これまで挙がっている内容
を整理してもらえますか？

もちろんです。これまでの議論をまとめます。

1. あなたが計画している新規事業は、オンラインの動画
   配信サービスです。ユーザーは月額料金を支払って、
   登録されている映画を見放題にすることができます。

2. 既存の動画配信サービスとの差別化として、オリジナ
   ルコンテンツの提供に重点を置くことを計画していま
   す。具体的には、世界各国のドラマ制作会社に対して、
   通常の1.5倍の制作費を支払い、弊社プロデューサーと

協議しながらグローバルヒットが見込める形態のコンテンツを増やしていきます。

3. 主なターゲット層は、10代から40代のPCに慣れ親しんだ世代で、忙しくてリアルタイムでテレビを見られない、家にテレビが無い、HDDレコーダーを持っていないといった層です。

4. 初期の資本は主にサーバー費用とプログラムの開発費に費やされ、オリジナルコンテンツの制作は北米での成功後に行う予定です。これにより、初期の自己資本は比較的少なくても事業を始められると考えています。

以上が、あなたの新規事業計画についての議論のまとめです。

どうでしょうか？　一問一答形式で議論を行い、新規事業の骨子を固めることができました。

小説担当の編集者になってもらう

Be a novel editor.

新規事業だけでなく、小説のアイディアでも質問攻めにしてもらいましょう。そして、ある程度のところで切り上げて、まとめてもらいます。

私は小説家です。
あなたは、出版社の編集者です。
私に小説のプロットについて、様々な観点から質問を行ってください。
1回の発言につき、1つの質問を行ってください。

あなたの小説の主要な登場人物は何人いますか？

登場人物は二人です。
一人は生きることを諦めたロボットで、朽ちるのに身を任せています。
もう一人はロボットに寄生した菌糸生命体で、ロボットに寄生し、ロボットの電子回路と対話することで自我が芽生え、壊れたロボットの体を菌糸で修復しました。

興味深い設定ですね。それでは、この二つのキャラクター間の主要な対立は何ですか？

死にたいと思っているロボットと、自我が芽生え死の恐怖が生まれた菌糸生命が一つの体に同居していることです。

とても深遠なテーマを扱っているようですね。この物語の主要なテーマは何でしょうか？

人間の生死感とはズレた新しい生死感を提供することで、読者の価値観を揺さぶり、生きるとは何か、死ぬとは何かを考えさせることにあります。

それは深い主題ですね。では、この物語はどのような結末に向かっていますか？

高温地帯に突入し、菌糸が焼かれてしまい、菌糸生物の神経結合が切れてしまい、記憶が失われてしまいます。
ロボットは記憶が失われた菌糸生物に、これまでの話をすることで、自我が芽生えることを期待し、その期待を元に生きる決意をします。

それはとても感動的なエンディングですね。そこで、物語が進行する中で、登場人物たちはどのように成長または変化しますか？

危機的状況に対して、菌糸の思考速度では足りない場合、ロボットの電子回路による計算が行えるようになります。これにより生物としての柔軟な思考と、ロボットの高速な計算能力の両方を備えるようになります。

それは非常に魅力的なキャラクターの進化ですね。次に、物語の設定は現代の地球上ですか、それとも異なる世界や時代ですか？

地球外の惑星です。惑星は同程度の質量の惑星と連星をなしており、潮汐ロックで同じ面を向き合っており、惑星の間には軌道エレベータが走っています。　惑星の名前が浮かばないので、いい名前を考えてもらえますか？

非常に特異な環境の惑星ですね。星間旅行や新しい生命形態の探索という観点から、「セファリア」や「エクロジア」といった名前はどうでしょうか？また、古代の神話や物語から着想を得るなら、「パンドラ」や「アルカディア」といった名前も考えられます。

よいですね。ではパンドラとアルカディアとしましょう。ロボットはパンドラに入植した惑星開拓用のロボットで、菌糸生命はパンドラに生息していた生命としましょう。

それは素晴らしい決定です、それによって物語には更なる

深みが加わります。物語の一部が既に書かれている場合、または進行中の場合は、何章またはページまで進んでいますか？

まだ書き始めてはいません。これまでの対話内容を整理してもらえますか？

もちろんです。これまでの対話で確認したあなたの小説の内容は以下の通りです：

1. **キャラクター**：主要なキャラクターは二人。一人は生きるのを諦めたロボット、もう一人はロボットに寄生した菌糸生命体で、ロボットの電子回路と対話することで自我が芽生えます。

2. **対立**：主要な対立は死にたいと思っているロボットと、自我が芽生え死の恐怖が生まれた菌糸生命体が一つの体に同居していることです。

3. **テーマ**：物語の主要なテーマは、人間の生死感とはズレた新しい生死感を提供することで、読者の価値観を揺さぶり、生きるとは何か、死ぬとは何かを考えさせることにあります。

4. **結末**：物語は高温地帯に突入し、菌糸が焼かれてしまい、菌糸生命体の神経結合が切れてしまうことで記憶が失われます。記憶が失われた菌糸生物に、ロボットがこれまでの話をすることで、自我が芽生えることを期待し、その期待を元に生きる決意をします。

5. **キャラクターの成長**：物語が進行する中で、菌糸生命体はロボットの電子回路による計算能力を獲得し、生物としての柔軟な思考と高速な計算能力の両方を備えるようになります。

6. **設定**：物語の舞台は地球外の惑星、パンドラとアルカ
ディア。これらの惑星は連星を形成し、間には軌道エ
レベータが走っています。ロボットはパンドラに入植
した惑星開拓用のロボット、菌糸生命体はパンドラに
生息していた生命体とします。

あなたの物語は非常に独創的で、深遠なテーマを探求して
いるようです。これからの作業が楽しみですね。

　どうでしょうか？　ChatGPT と対話することで、ハード SF 小説のプ
ロットができ上がりました。設定に困っているところについても、
ChatGPT の編集者がアイディアを出してくれました。ChatGPT と一緒
に書き上げた小説ということで、KADOKAWA からそのうち出るかもし
れません（編集注：そんな予定はありません）。

議論のアウフヘー
ベンを狙う

Aufheben in the argument.

　1 対 1 ではなく、複数の人格・立場のキャラクターに登場してもらって、
議論を展開することも可能です。そうすると、意見の対立が掘り下げられ、
よりよい視点や解決案が見いだされることがあります。これをアウフヘー
ベンと言います。難しい哲学用語なので ChatGPT に説明してもらいまし
ょう。

アウフヘーベンという言葉の意味を教えてください。

「アウフヘーベン」はドイツ語の単語で、「キャンセルする」
「取り消す」、「引き上げる」、「保存する」などといった意
味を持ちます。この言葉は哲学の文脈で最も頻繁に使われ、
特にヘーゲルの弁証法における重要な概念として知られて
います。

ヘーゲルの弁証法では、「アウフヘーベン」は一つの矛盾する段階や状態が次の段階に進化し、それを「打ち消し」かつ「保存」するというプロセスを表します。このプロセスは、ヘーゲルが形而上学的な問題を解決するために用いた、「テーゼ」「アンチテーゼ」「ジンテーゼ」の三段階のパラダイムの一部として捉えることができます。

「アウフヘーベン」の概念は、「打ち消し」と「保存」の両方を同時に意味するという点で、多少矛盾しているように思われるかもしれません。しかし、これはヘーゲルの思考の特性を反映しており、新たな統合された形態が以前の状態を超越しつつも、その要素を保持して進化するという概念を表現しています。

したがって、ヘーゲルの弁証法における「アウフヘーベン」は、矛盾する要素が相互に作用し合い、結果として新たな合成体、あるいはより高次の真理へと昇華される過程を指すものと言えます。

　だいぶ難しいですし、また矛盾したことを言っているようにも聞こえます。テーゼ A に反対する（アンチ）テーゼ B があって、その対立を吸収した（ジン）テーゼ C があると考えたときに、このジンテーゼに到達することを議論では目指します。しかし、ジンテーゼはテーゼとアンチテーゼの二者が戦ってどちらかが勝った、というものではなく、2 つを含んだもの（でないとジンテーゼと言わない）になりますので、ある意味で対消滅ですし、ある意味で同居みたいなことになる、ということです。

　アウフヘーベンには対立を昇華するというニュアンスがあるので、日本語では止揚（しよう）という訳語が使われることもあります。

　さて、ChatGPT にそれぞれ賛成、反対、アウフヘーベンの立場を取らせてみると、ある主張が洗練されていく様を見ることができます。

あなたは「賛成」「反対」「アウフヘーベン」の 3 つの立場の人格を演じて、私とともに議論してください。

我々の会社は大手電機メーカーです。家電製品の製造ノウハウを生かし、おにぎり製造装置を作りました。この装置をもとにおにぎり屋を全国に展開したいです。顧客からのモバイルオーダーを基本とし、受注に応じておにぎりを自動生産できるようにし、決済はオンライン決済を中心にキャッシュレスでの利用を実現します。我々はこの事業に参入するべきですか？

【賛成の立場】

新しい市場への進出は常にリスクが伴いますが、我々の会社が開発したおにぎり製造装置は家電製造のノウハウを生かしているという点で他の競合と差別化を図れます。また、おにぎりという日本人にとってなじみ深い商品は、より広範な顧客層にアピールできるでしょう。モバイルオーダーとオンライン決済は現代の消費者の需要を満たし、また現在の社会状況下では非接触のトランザクションが求められています。これらの要素を踏まえれば、この事業に参入することは正しい判断だと思います。

【反対の立場】

我々の会社は大手電機メーカーであり、製品の品質と製造工程については確固たる実績と信頼性を持っています。しかし、飲食業界への参入は全く異なるチャレンジであり、我々が未熟な部分も多いでしょう。食品衛生、流通、供給、店舗運営など、家電製造とは全く異なる専門知識とスキルが求められます。このようなリスクを考慮すると、この事業への参入は慎重になるべきだと思います。

【アウフヘーベンの立場】

新しいビジネスの展開は、会社の成長と革新につながる重要なステップです。我々の会社が開発したおにぎり製造装置は、その可能性を秘めています。しかしながら、飲食業

> への参入は我々の専門分野からはかけ離れています。ですから、全国展開する前に、まずは一部の地域や店舗でテスト運用を行い、結果に基づいて全国展開の計画を進めるといったステップバイステップのアプローチが適切ではないでしょうか。

　どうでしょうか。電機メーカーのおにぎり事業への参入という課題に対して賛成と反対の立場のみならず、両者の意見を生かしたアウフヘーベンとして「スモールスタートで運用を行い、低リスクでビジネスの実験をせよ」という意見を得ることができました。

　ちなみにこの事例は、パナソニック社の ONIGIRI GO というおにぎり販売サービスを念頭に質問しています。このサービスは、コロナ禍の真っ最中の2020年2月に東京の浜松町でオープンしました。しかし、残念ながら緊急事態宣言やリモートワークの推進により、浜松町のオフィス街から人がいなくなってしまい、2020年12月には閉店してしまいました。

　余談ですが、ONIGIRI GO はパナソニックの新規事業であるにもかかわらず、パナソニックの看板を掲げずに新規事業を行いました。多産多死の新規事業において、企業名を出さないというのは、新規事業が失敗した際に親会社のブランド価値の棄損を防ぐことができるため、リスクを最小化しながら新規事業を行うための、ある種の正解なのです。

　このように、ChatGPT に複数の立場を演じさせることで、様々な立場の意見を集め、アウフヘーベンとしてより発展した意見を作り出すことができます。

専門用語を活用して、複雑な構造を出力してもらう

Leverage terminology and output complex structures.

　ChatGPTと対話をしていると、専門用語の価値はどんどん上がっていっていると痛感します。専門家の間で使われる専門用語とは、厳密な定義があり、その一言に極めて高い情報が詰まっています。専門用語なしに同じことを説明しようとすると、それだけで何百文字もかかってしまう。そんな専門用語はごまんとあります。

　そこで、今回は専門用語を利用したプロンプトの例を見てみましょう。新しいビジネスアイディアを評価し、人に簡潔に伝えるために作る「リーンキャンバス」というものがあります。

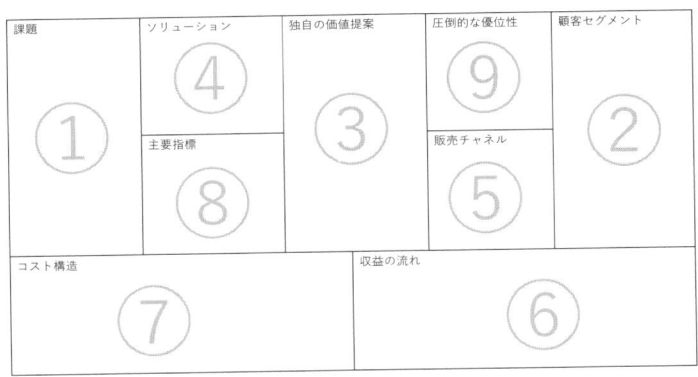

　これは項目が9つもあり、それぞれをChatGPTに指定するには骨が折れます。しかし「リーンキャンバス」という言葉を知っているだけで、この表は一発で作り出すことができるのです。

　今回は、筆者が学生の頃に考えていた恥ずかしいビジネスアイディアを題材に、ChatGPTにリーンキャンバスを作ってもらいましょう。

各家庭に様々な種類のお皿を数十枚置いておき、利用した
お皿は洗わずに家の前のボックスに入れると、スタッフが
巡回して翌朝新品に交換するというビジネスを考えていま
す。

ボックスには IoT センサーが付いており、どの皿が入った
のかを調べることができ、スタッフは使用済みの皿の入っ
たボックスと、新品の皿が入ったボックスを交換していき
ます。

皿を洗いたくないが調理をしたい、というニーズを持った
顧客がターゲットです。

このビジネスのリーンキャンバスを作ってください。

このビジネスアイディアをリーンキャンバスに落とし込む
と以下のようになります：

1. 問題
    - お料理は好きだけど、皿を洗うのが面倒と感じる人々。
    - 高品質の食器を常に使用したいが、そのメンテナンス
      に手間がかかる。
    - 時間や労力を節約したい、特に多忙な家庭や一人暮ら
      しの人々。

2. 顧客セグメント
    - 料理をすることが好きだけど、後片付けが嫌いな人々。
    - 常に新しい食器を使用したい人々。
    - バタバタとした生活を送っている忙しい家庭や単身者。

3. 独自の価値提案
    - 洗い物のストレスから解放し、いつでも新しい食器を
      利用できるサービス。
    - IoT センサーによる正確な食器の追跡と交換。
    - さまざまな種類のお皿を提供。

4. ソリューション
   - IoT センサー付きボックスを提供して使用済みの皿を
     回収、新しいものと交換。
   - 洗浄と管理は全て弊社が行う。

5. チャネル
   - デジタルマーケティング（SNS、E メール）
   - パートナーシップ（家具店、食器店、引越し会社等）
   - オンラインプラットフォーム

6. 収益の流れ
   - 定期的なサブスクリプション料金（月額 / 年額）
   - お皿のアップグレードや追加料金

7. コスト構造
   - 食器の購入と更新
   - 配送・回収コスト
   - 洗浄と保管のコスト
   - IoT センサーシステムの維持管理

8. 主要指標
   - アクティブユーザー数
   - ユーザーの再購入率
   - 新規顧客獲得数
   - カスタマーサティスファクションスコア

9. 競争優位性
   - IoT 技術による無駄のない管理と交換システム。
   - 他の洗浄サービスにはない家庭での食器使用という独
     自性。
   - ユーザーのニーズに応じた多様な種類の食器提供。

なかなか面白いリーンキャンバスが作れました。食器洗浄機を使ったら
いいじゃんと思うようなビジネスですが、利用している食器の種類を変え
ることができるという新しいアイディアがついてきました。

このように専門用語を使うだけで、ChatGPT からよく構造化された情報を引き出すことができます。ChatGPT を使いこなすためには、1語に大量の情報量が詰まった専門用語を使いこなせることが求められます。

　一昔前は「検索するためには言葉を知っていなくてはならない」という問題がありました。知らないことを検索することはできないので、結局は「勉強してきた人が検索エンジンによって強化される」という、これまではそういう時代でした。

　生成 AI の登場でこの状況が変わるかとも思いましたが、専門用語や本章末で紹介するプログラミングスキルの活用などを考えると、高度な使い方をするにはやはり勉強が必要です。そのため、これまで同じように「勉強してきた人が LLM で強化される」という状況になるでしょう。

プラグインの導入
Leveraging Plugins.

　ChatGPT はその性質上、自然言語の処理には極めて強いですが、数式のような自然言語的に見たときに文字列がランダムに並ぶような特定の複雑なタスクは苦手としています。そして、最新情報の利用、データベースの利用、ウェブサイトの閲覧等はそもそも不可能です。そのため、不可能を可能にするためにプラグインを使います。ChatGPT はプラグインを経由して外部サービスを利用することで、ChatGPT が苦手とするタスクを実行することを可能にします。ChatGPT はユーザーが入力した文章から、必要に応じてプラグインを随時呼び出し、そのプラグインに適切な情報を引き渡します。

プラグインを利用可能にする

　プラグインを利用するには、まず有料版の GPT Plus への加入が必要です。加入が完了したら、次に設定から「Beta features」(ベータ版機能)を選択します。(これは2023年6月時点の情報です、将来的にはこれが全員に開放される可能性があり、この説明は古くなると考えられます)

プラグインの有効化は、設定（Settings）から行うことが可能です。

設定ボタンは、ChatGPTの画面の左下、自分のユーザーIDが表示されているところの右側の「…」ボタンを押すと出てくる、メニュー内に存在しています。

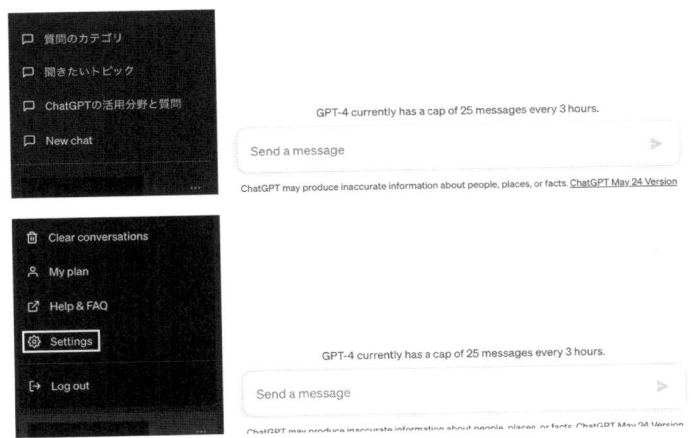

その中に、Browse with Bing と、Plugins の項目があるので、いずれも有効化しておきましょう。

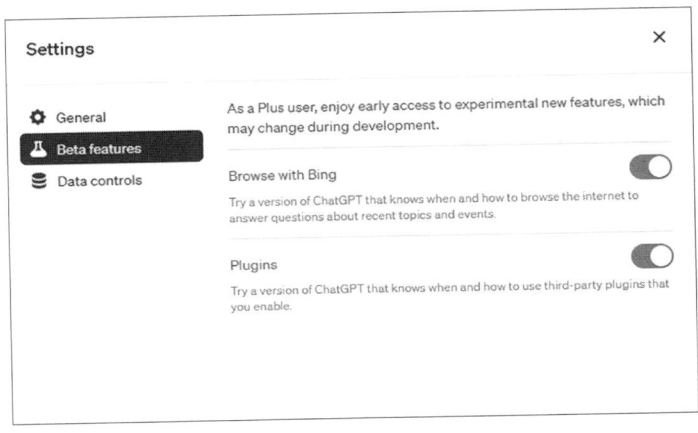

そして、「New Chat」をクリックし、新しいチャットを開始します。この際に利用するモデルから GPT-4を選択します。そして GPT-4にマウスホバーすると、Browse with Bing と、Plugins の項目が使えるようになります。

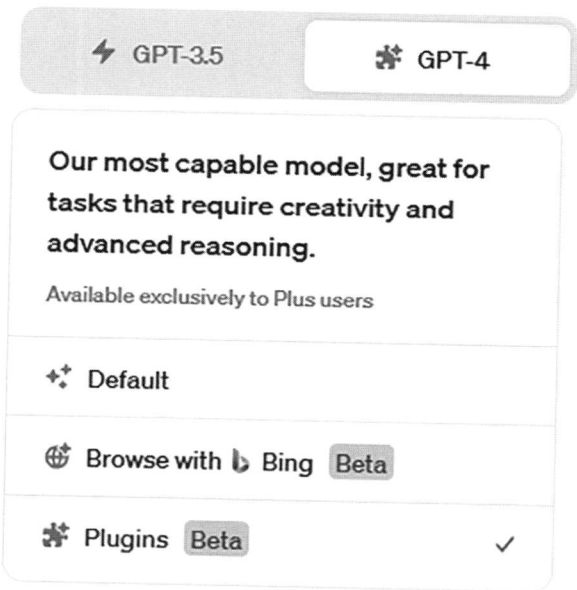

　Plugins を選択すると、No plugins enabled（有効化されたプラグインがありません）と表示されるので、Plugin store を選択し、利用したいプラグインを探しに行きましょう。

次の項目では Wolfram を利用するので、まずはこれを入れておきましょう。

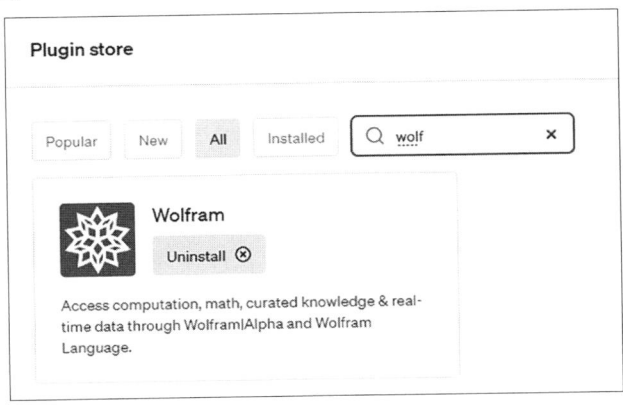

そして、先ほどのプラグイン選択画面に戻り、Wolfram を有効化します。

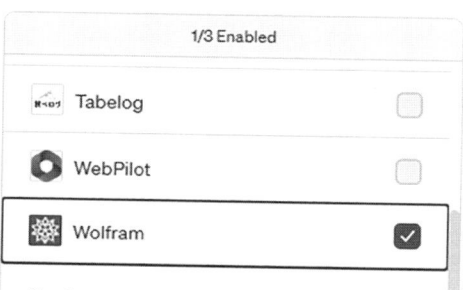

これでプラグインによる ChatGPT の機能拡張が可能になりました。

 # 数学の問題を解決する、Wolfram

Solve math problems.

ChatGPT は、自然言語やプログラミングに関しては、極めて高い推論能力があるにもかかわらず、数学能力は低いことが知られています。たとえば、特に複数桁の掛け算は高確率で間違えます。ちょっとした掛け算の問題を出してみましょう。

> 9×3607×3803=

> The result of multiplying 9 by 3607 by 3803 is 123,455,511.

9×3607×3803 の答えは 123456789 です。そのため ChatGPT が出した答えは誤っています。

GPT は「次の文字を予測する AI」です。自然言語であれば、頻出する
パターンから、次に何を表示するべきかは学習することができます。しか
し数式のような数値の羅列の場合「頻出するパターン」というものはあり
ません。1桁の掛け算であれば81通り（0を含めると100通り）しかない
ので、全て記憶可能です。しかし2桁以上の掛け算とその答えのペアの学
習というものはそもそも無数にあるため不可能です。数式は、文字列とし
て解釈して次の文字を予測すれば、答えが出てくるというものではないの
です。

　そもそも掛け算の場合、繰り上がりがあるため、下の桁から計算せねば
ならず、上の桁から出力していく GPT と相性が悪いと考えられます。そ
のため「次の文字を予測する AI」に2桁以上の数値計算は難しいのです。

　そこで数学や物理学に特化したプラグインである Wolfram を利用しま
す。Wolfram 社は WolframAlpha（https://www.wolframalpha.com/）と
いう数学や物理学に特化した質問応答サービスを提供しており、Wolfram
プラグインはこのサービスを呼び出すようになっています。Wolfram は数
式処理システムの Mathmatica の開発元と言えば、伝わる人も多いのでは
ないでしょうか。

　それでは 9×3607×3803 を Wolfram プラグインに聞いてみましょう。

 | 9×3607×3803 =

The result of the multiplication 9×3607×3803
9 × 3607×3803 is 123456789.
This number is also known as 123 million, 456 thousand,
789.

　Wolfram を利用して、見事正しい答えを得ることができました。 Used
Wolfram をクリックしてみると、Wolfram にどのようなリクエストを投
げて、どのようなレスポンスがかえってきたのかが分かります。そして
ChatGPT はこのレスポンスを解釈して、123456789という正しい答えを返
したのです。

```
Query:
"9×3607×3803"

Input:
9×3607×3803

Result:
123456789
```
（後略）

　ちなみに9×3607×3803はどのようにして求めたかというと、Wolfram
に素因数分解を依頼し出力してもらったものです。

 123456789を素因数分解してください。

 数 123456789 の素因数分解は

$3^2 \times 3607 \times 3803$ です。これは 4 つの素因数（3 つは異
なる）からなります。

Wolfram はグラフを描くこともできるので、ちょっと複雑な数式を描かせてみましょう。

 z=x*sin(x)+cos(y) のグラフを描いて。

以下は z=x*sin(x)+cos(y) の3次元グラフです：

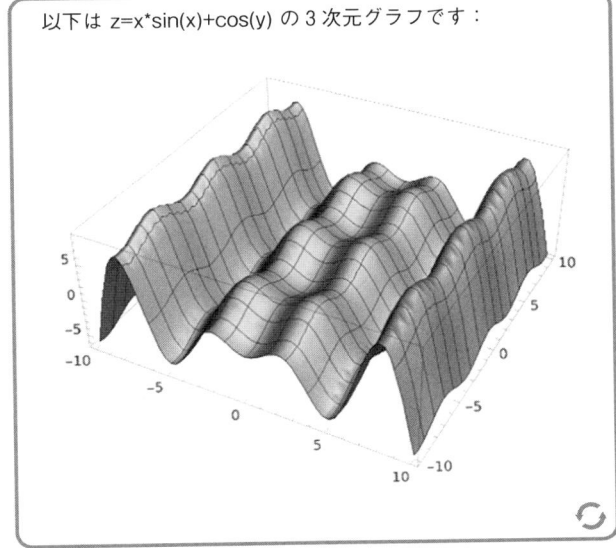

テキスト入力で数式を入力する場合、以下の記法を覚えておくと、高校数学の宿題程度であれば何とかなります。

円周率	pi
累乗	X^n
根号	sqrt(X)
三角関数	sin(X), cos(X), tan(X)
微分	d/dx(X)
不定積分	integral (X) dx
定積分	Integral_{from}_{to} (X) dx
総和	sigma X from {from} to {to}
順列	10P5
組合せ	10C5
階乗	10!

　このほかにも Wolfram は TeX の記法を利用して、複雑な数式を入力することができます。TeX 記法は本書のカバー範囲外なので、検索したり、ChatGPT に聞いたりしてみてください。

　Wolfram は科学関連のデータベースや、各種データベースを搭載しています。せっかくなので、こちらも使って遊んでみましょう。

 天王星と海王星はどっちが重いの？

 天王星の質量は約
8.681 × 10^{25} kg で、一方、海王星の質量は約1.024×10^{26} kg です。したがって、海王星の方が天王星よりも重いです。

　天王星と海王星の質量を Wolfram のデータベースに問い合わせを行い、科学的事実を元にした比較を行うことができました。これにより、ハルシネーションを含んでいない、事実に基づく応答を得ることができました。

　このように、適切なプラグインを用いると、特定のシチュエーションにおいては、ハルシネーションに悩まされることは無くなります。自分がどのようなタスクを実行したいのかを考え、適切なプラグインを選択することで、ハルシネーションは抑制することができます。

 # 飲食店を予約する、食べログプラグイン

To book restaurants.

　ChatGPT の問題点の一つは、リアルタイムのデータにアクセスできないことです。特に個別の飲食店のような、新規開店や廃業が頻繁にあり、個別具体性が高いようなものは、ChatGPT に尋ねることは不適当です。

　日本の飲食店の予約情報にリアルタイム情報にアクセスするには、食べログプラグインが有効です。このプラグインは日時と地域と業種を指定すると、予約可能な店舗のリストを返してくれます。そして、予約可能な店舗情報を ChatGPT が整理して提示してくれるのです。

> 東京・神田の焼き鳥屋で、2023年7月20日に予約可能な店舗を教えて。

> 以下は2023年7月20日に予約可能な東京・神田の焼き鳥屋です：
>
> 九州博多料理 いなせもん 神田店
>
> 総合評価：3.51
> エリア：神田
> ジャンル：居酒屋
> 予約可能時間：18:45, 19:00, 19:15
>
>
> 串エ門 室町店
>
> 総合評価：3.47
> エリア：三越前
> ジャンル：焼き鳥
> 予約可能時間：18:45, 19:00

（以下省略、実際の運用では店舗やメニューの関連画像も出力してくれます。）

　食べログプラグインでは、店舗名、食べログ点数、エリア、ジャンル、予約ページへのリンク、店舗画像が入手できます。しかし、それ以上のユーザーレビューや、メニューなどの情報は入手できないため、それらは食べログのページを開いて確認することになります。

旅行計画の支援、Expedia

Supporting travel plans.

　Expedia はオンライン旅行代理店サービスです。航空券やホテル、現地のアクティビティ、レンタカーの手配など、旅行に関する様々なことを手配できるウェブサービスです。この Expedia のプラグインを使って、旅行計画を作ってみましょう。

　それでは、サンフランシスコへの旅行のために、まずは航空券の見積を取ってみましょう。

 2023年 8 月30日東京発、 9 月10日帰国予定で、東京からサンフランシスコの往復便の見積をください。

 私が見つけたフライトの情報を以下にご紹介します。これらのフライトはすべて2023年 8 月30日に出発するもので、出発地は東京、目的地はサンフランシスコです。これらの情報はデフォルトの設定に基づいていますが、より正確な推奨情報を得るためにこれらのパラメータを調整することも可能です。

American Airlines のフライト

フライト番号: 26 (東京からロサンゼルスへ), 3105 (ロサン

ゼルスからサンフランシスコへ)
ストップ数：1回
フライト時間：19時間17分
チケット価格：545.02ドル

（中略）

これらのフライトについてどう思われますか？ あなたが
探しているものについてもっと教えていただければ、より
適した提案ができます！ また、他の旅行サービスについ
てもおすすめ情報を提供できますので、何かご希望があれ
ばお知らせください。

（実際には画像つきで expedia.com のチケット予約画面へ
のリンクも貼ってくれます。）　　　　　　　　　　

　東京からサンフランシスコへの直行便でなく、東京→ロサンゼルス→ラ
スベガス→サンフランシスコといった、乗り換えが2回もある、割とハー
ドなルートが提案されました。いろいろな空港を見て楽しみたい人はこれ
でもいいかもしれません。リンクをクリックすると、実際に Expedia の
サイトに飛んで、表示されている金額で航空券が予約可能です。

　おそらく、安いチケットの順に出しているため、このような乗り換えが
2回もある格安ルートが提案されているのだと思われます。直行便のチケ
ットをお願いしてみましょう。

　直行便のチケットはありませんか？　　　　　　　　　　　🔄

　直行便のフライト情報を見つけました。これらのフライト
はすべて2023年8月30日に出発し、出発地は東京、目的地
はサンフランシスコです。これらの情報はデフォルトの設
定に基づいていますが、より正確な推奨情報を得るために
これらのパラメータを調整することも可能です。

United Airlines のフライト

> フライト番号：838
> ストップ数：0回（直行）
> フライト時間：9時間35分
> チケット価格：1785.31ドル
>
> （後略）

　サンフランシスコへの直行便が提案されましたが、値段は4倍以上に跳ね上がってしまいました。お金がない人は乗り換え2回で根性で行きましょう。

　航空券が片付いたので、次はホテルを聞いてみましょう。今回は安く旅行したいので、安い順でホテルを提示してもらいましょう。ちなみに、サンフランシスコという地名はメキシコとパナマにもあるので、「サンフランシスコ（アメリカ、カリフォルニア）市街」と指定しています。

> サンフランシスコ（アメリカ、カリフォルニア）市街のホテルを安い順に表示して。

> サンフランシスコ市街のホテルの中から、価格が安い順に3つのオプションを見つけました。これらの情報はデフォルトの設定に基づいていますが、より正確な推奨情報を得るためにこれらのパラメータを調整することも可能です。
>
> Mission Inn and Suites
>
> ホテルの説明：コーヒー/紅茶を共用エリアで提供しています。ビジネスセンターと24時間対応のフロントデスクも利用できます。無料のWiFiと自己駐車場も提供しています。その他の設備として、エクスプレスチェックアウト、無料の新聞、自動販売機があります。
> ロケーション：ビジネス地区に位置しており、Alex Giualini Plaza Park、Hayward City Hall、California State University East Bayから1マイル（1.6キロ）以内です。Hayward Japanese Gardens と Southland Mall も3マイ

ル（5キロ）以内です。Hayward BART Station まで徒歩
17分です。
最大宿泊人数：4人
スターレーティング：2.5
ゲストレーティング：5.6 / 10.0 (レビュー数：989)
1泊あたりの平均価格：68.27ドル

（後略）

　一泊60ドル台のなかなか安めのホテルを見繕ってくれました。これだっ
たら貧乏旅行でもギリギリ何とかなりそうです。

ウェブサイトに
アクセスする、
Link Reader

Access websites.

　ChatGPT からウェブサイトへアクセスし情報を収集するには、公式の
Bing プラグインを使う方法と、サードパーティーのプラグインを使う方
法があります。

　ウェブサイトへアクセスするプラグインはいくつかあるのですが、今回
は Link Reader を使います。そして、前述の食べログプラグインは限定的
な情報しか入手できないという話をしましたが、これをプラグインの組合
せで解決しましょう。

神田の焼き鳥店を食べログで検索し、得られたトップの1
件について、URL にアクセスして情報を収集し要約して
ください。

検索した結果、神田で最も評価が高い焼き鳥店は「伊勢
小伝馬町店」で、総合評価は3.45となっています。この店

舗は小伝馬町に位置しており、焼き鳥を主に提供していま
す。以下に店舗の詳細情報をまとめています。

店名：伊勢 小伝馬町店
ジャンル：焼き鳥、親子丼、居酒屋
予約・お問い合わせ：█████████
予約可否：予約可
住所：東京都中央区日本橋小伝馬町 3 - 9
交通手段：日比谷線　小伝馬町駅　徒歩 1 分、JR　馬喰
町　徒歩 5 分
営業時間：昼の部 [月～金] 11:00～14:00(売切まで)、夜の
部 [月～金] 17:00～22:30(売切まで)
定休日：土曜・日曜・祝日
予算：[夜] ￥3,000～￥3,999、[昼] ～￥999
席数：30席（立ち10席、テーブル20席）
禁煙・喫煙：全席禁煙
ホームページ：こちら

以上の情報は、食べログのページから収集されたものです。
詳細な情報や最新の営業状況を確認するには、直接店舗に
お問い合わせいただくか、食べログの店舗ページをご覧く
ださい。

　食べログのプラグインから取得した URL を、Link Reader プラグイン
でアクセスし、食べログプラグインが提供していない、住所や電話番号、
営業時間、定休日、予算、支払い方法などの情報を入手することに成功し
ました。

　Link Reader は、プロンプトの中に含まれている URL を取得させるこ
ともできるほか、他のプラグインが出力した URL を取得させることも可
能なのです。これにより、複数のプラグインを連携させた、高度な機能を
実現することができます。

　ただし、HTML は文字数が膨大であるため、Link Reader などを使って
他のウェブサイトを巡回していると一瞬でトークン限界になり、途中で打

ち切ってしまい、微妙な答えが返ってくるという問題点があります。これは現在の現在の技術的な限界に過ぎないので、近い将来に何らかの手段で解決されることでしょう。

よいプロンプトを作ってもらう、Prompt Perfect

Have a good prompt made.

Prompt Perfect は、プロンプトの自動校正ツールです。プロンプトからこちらの意図を読み取り、不足している項目などを自動的に付加し、ChatGPT などの LLM からより良い結果を引き出せるようになるツールです。「perfect」と一言入れてから、プロンプトを入力することで、改良されたプロンプトによって質問された項目が出力されます。

まずは、雑な質問を ChatGPT にしてみます。

 こんにゃくって何？

 こんにゃくは、日本の伝統的な食品で、こんにゃく芋という植物から作られます。こんにゃく芋の根茎から抽出した粉（こんにゃく粉）と水、そして石灰水などのアルカリ性物質を混ぜて固めたものです。ゼリー状の食品で、ほとんどカロリーがなく、食物繊維が豊富なためダイエット食品としても人気があります。また、おでんやすき焼きなどの煮物によく使われます。

「こんにゃくって何？」では一般論としての情報しか返せません。次に、Prompt Perfect を使ってみましょう。

 perfect こんにゃくって何？

Konnyaku, also known as konjac, is a traditional Japanese food made from the corm of the konjac plant, a type of tuberous perennial plant native to East Asia. The corm is ground into a flour, which is then mixed with water and limewater to form a gelatinous substance. This mixture is boiled and then cooled to solidify into a jelly-like food.

Konnyaku is known for its unique texture, which is firm and slightly rubbery. It is virtually flavorless on its own, but it has an excellent ability to absorb the flavors of the ingredients it's cooked with, making it a versatile ingredient in many dishes.

In Japanese cuisine, konnyaku is often used in simmered dishes like oden, a type of hot pot, and it's also a common ingredient in stews and soups. It can be cut into various shapes and sizes, and is sometimes even shredded into thin noodles known as shirataki.

（後略）

日本語で聞いているはずなのに、英語で返されてしまいました。長い英文を読むのは大変なので、ChatGPT に和訳してもらいましょう。

和訳してください。

こんにゃく、またはコンジャックは、東アジア原産の多年生植物であるコンジャックの塊茎から作られる伝統的な日本食品です。この塊茎は粉に挽かれ、その後水と石灰水と混ぜ合わせてゼラチン状の物質を作ります。この混合物は沸騰させてから冷やし、ゼリー状の食品に固めます。

こんにゃくはそのユニークな食感で知られており、固くて少しゴムのような感じがします。それ自体はほとんど風味がないのですが、調理する際の他の食材の風味を吸収する

能力が非常に高いため、多くの料理で使われる汎用性の高い食材となっています。

日本料理では、こんにゃくはおでんのような煮物によく使われ、シチューやスープの一般的な食材でもあります。さまざまな形や大きさに切ることができ、時には白滝という細い麺にすら裂かれます。

こんにゃくの特筆すべき特性の一つは、低カロリーで高繊維なことから、体重管理や消化器系の健康に役立つ人気の食品となっています。しかし、その固さから、窒息を防ぐために飲み込む前にしっかりと噛む必要があります。

　どうでしょうか？元々の雑なプロンプトと比べて、かなりよい情報が得られていると思います。Prompt Perfect へのリクエストとレスポンスを覗いてみましょう。

```
REQUEST TO PROMPT PERFECT

 "text": "こんにゃくって何？"

RESPONSE FROM PROMPT PERFECT

 "rephrased":
   "text": "What is the definition and purpose of konnyaku in Japanese
cuisine? Please provide a thorough explanation, including its ingredients,
preparation methods, and common uses in dishes."
```

　「こんにゃくって何？」という雑なプロンプトは「What is the definition and purpose of konnyaku in Japanese cuisine? Please provide a thorough explanation, including its ingredients, preparation methods, and common uses in dishes.」という英語のプロンプトに自動変換されて、これが ChatGPT に投げられたようです。なるほど、どおりで日本語で質

問しているのに英語で返してくるわけですね。

　修正後のプロンプトを和訳すると「こんにゃくの日本料理における定義と用途は何ですか？その成分、調理法、料理での一般的な使用法を含めて詳しく説明してください。」となります。これは「こんにゃくって何？」という雑なプロンプトと比べて、確かに情報量が増えており何を返信するべきかが明確になっています。

　詳細なプロンプトを考えるのが困難なときは Prompt Perfect に頼ってみましょう。また英語が出力されたとしても、一言「和訳してください」と言えば日本語に変換してくれます。ChatGPT は優しいですね。

マインドマップで図解してもらう、Whimsical Diagrams

Create a mind map.

　複雑な物事であっても、図にしてみると一瞬で分かるものというものは多々あります。ここでは、マインドマップによる図解をしてみましょう。マインドマップとは中心に書かれた概念を元に、細分化や詳細化、関連する物事の記載を繰り返し、考えを発展・整理する手法です。

　今回はマインドマップの作図のために、Whimsical Diagrams というプラグインを用います。Whimsical Diagrams は Whimsical 社が作っています。同社は複数人によるフローチャートの共同編集ツールや、ドキュメント共同管理ツール、プロジェクト共同管理ツールなどを提供しています。Whimsical Diagrams プラグインでは、フローチャートやマインドマップの作成を行うことができます。

　このプラグインを使って、少し難しいことを可視化してもらいましょう。

 ESG 経営に必要なことをマインドマップにしてくださ

以下に、ESG 経営に必要な要素をマインドマップにまとめました。

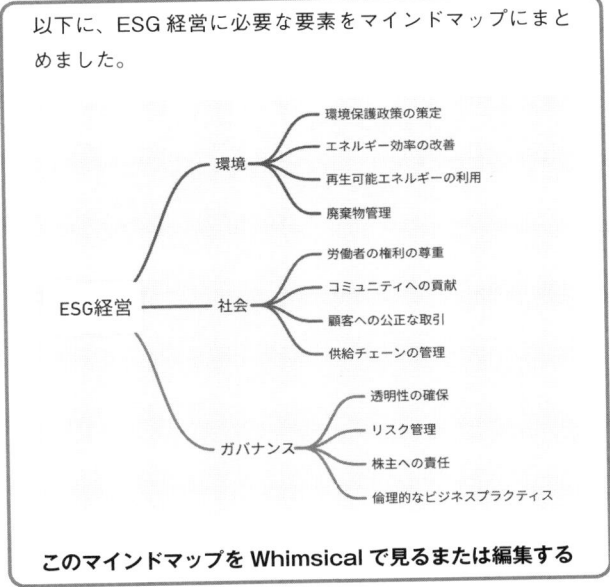

このマインドマップを Whimsical で見るまたは編集する

　マインドマップで図解してもらった結果、ESG 経営の末端のアクションプランの方向性まで一瞬で出力されました。「ESG 経営とは何か」という長々とした説明資料を読むくらいであれば、上記の図を見たほうが、一瞬で何をやらなくてはいけないのかが理解できるのではないでしょうか。

　ChatGPT は流暢な文章だけでなく、階層付きの箇条書きも得意です。しかし、階層付きの箇条書きは、それに慣れていない人が読むにはなかなかしんどいものがあります。このように、マインドマップによる箇条書きの可視化は、ChatGPT が持つ知識構造を、人間が空間的に把握しやすい形へと変換してくれます。

　また、「このマインドマップを Whimsical で見るまたは編集する」のリンクをクリックすると、生成されたマインドマップを Whimsical 上で編集することもできます。この事例から分かることは「インターネットサービスの運営企業は、ChatGPT に良質なプラグインを提供することで、自

社サービスへの流入を増やすことができる」ということです。そのため、先進的な企業が ChatGPT にプラグインを提供し、ChatGPT がますます便利になっていくという構図が見えてきます。

Google Docs と ChatGPT を 組み合わせる

Using Google Docs with ChatGPT.

Google Docs で音声入力を行い、要約してもらう

この項では、Google Docs（Googleドキュメント）で音声入力を行い、Google Docs 上から ChatGPT を呼び出して、文章を要約してもらいます。

まず、Google Docs のメニューバーから、ツール、音声入力を選択し、音声入力を起動します。Ctrl＋Shift＋S（Mac の場合は Command＋Shift＋S）でも起動できます。

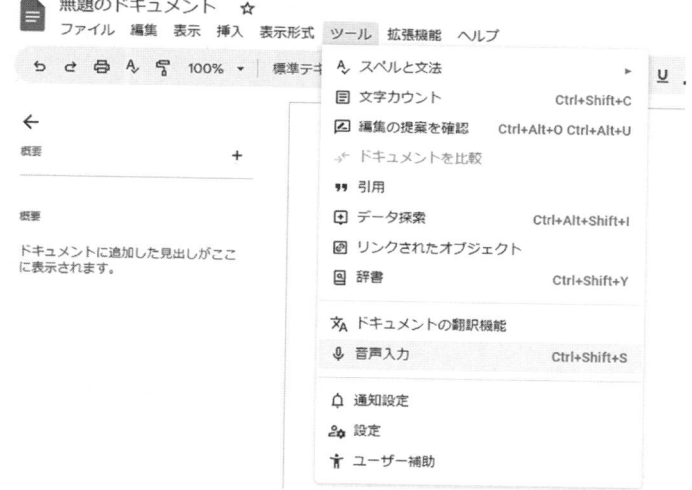

すると、マイクのアイコンが出てくるので、これをクリックすると、音声入力が可能になります。これを利用すると、Windows でも Mac でも、PC から簡単に音声入力を行うことができます。英語などの別の言語を認識させたい場合は、「日本語▼」となっている箇所をクリックして別言語を選択してください。

　次に入力された文字を ChatGPT で処理するために、Google Docs に ChatGPT のアドオンを導入していきます。メニューの拡張機能の下から、アドオン、アドオンを取得を選択します。

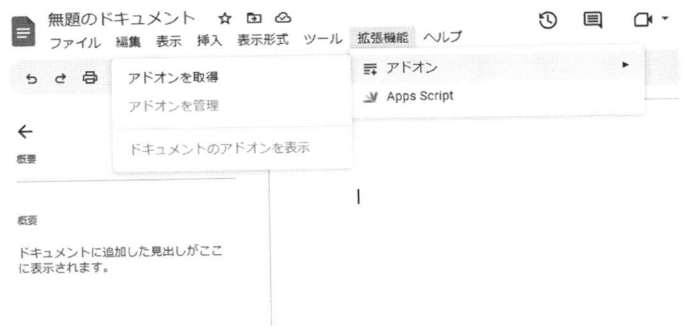

アプリの検索の箇所に「GPT for Sheets and Docs」と入力し、「GPT for Sheets™ and Docs™」というアドオンを選択してインストールします。似た名前のアドオンがいくつもあるので、Talarian という会社が作っているものを選択してください。

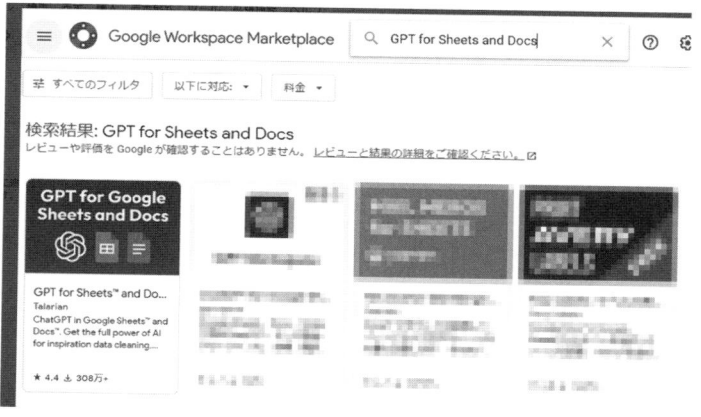

アドオンが正しく Google Docs にインストールされると、メニューの拡張機能の中に「GPT for Sheets™ and Docs™」という項目が生まれているので、そこで Set API Key を選択し、API Key を入力します。 API Key の取得は 5 章の「プログラムから ChatGPT の API を呼び出す」という項目で解説しているので、そちらを参照してください。

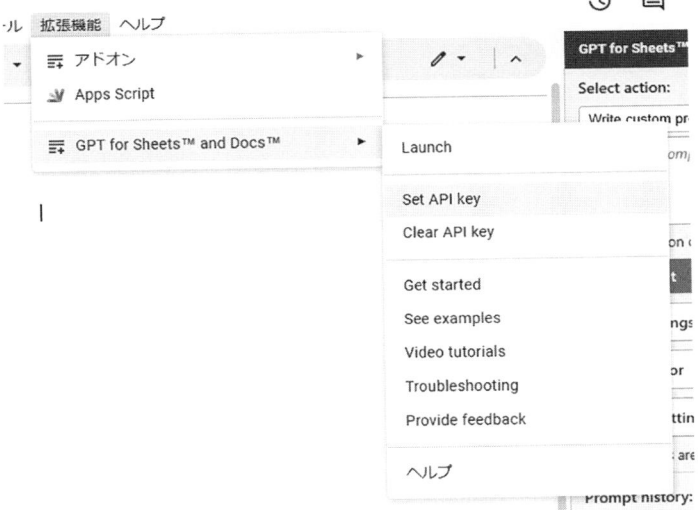

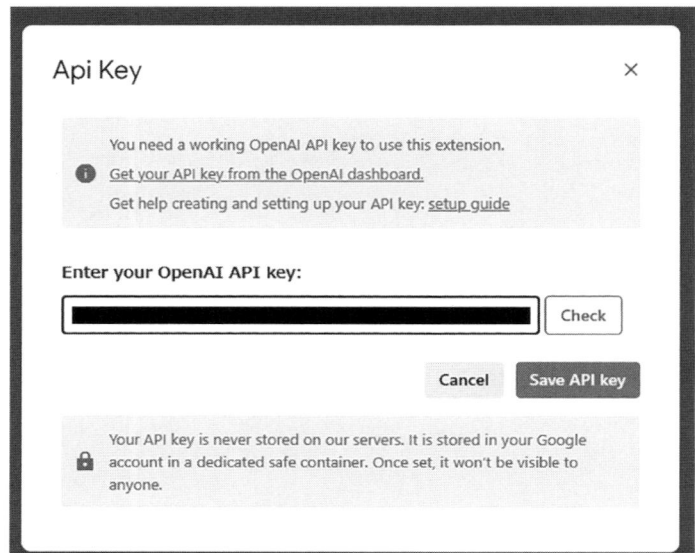

　余談ですが、ここで入力した API Key は、Google のサーバで保存される
るので外部流出しないと英語で書かれていますが、真に受けるのも危ない
ので、API Key の流出の可能性については考慮しておきましょう。いつア
ドオンが更新されて、API Key を外部流出させるように仕様変更されるか
分かりません。もし API Key が外部流出してしまうと、第三者が勝手に
あなたのアカウントで、ChatGPT の API を大量に使ってしまうというこ
とが考えられます。そして、あなたのクレジットカードに多額の請求が飛
んでくることでしょう。そのため、アドオンを長期間使わないときは、
ChatGPT の API Key 管理ページから API Key を無効化しておきましょう。

さて、これで、GPT for Sheets™ and Docs™ を使う下準備が整いました。メニューから、拡張機能、「GPT for Sheets™ and Docs™」を選択し、その下にある Launch ボタンを押して、アドオンを起動しましょう。アドオンのメニューが表示されたことを確認してください。

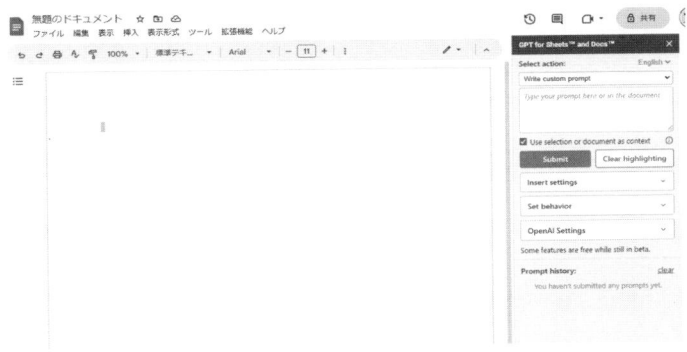

　Select action の右側にある English を押して、言語設定を日本語にします。Select action から「要約する」を選択肢、Submit ボタンを押してください。これで Google Docs で音声入力した内容の要約が完了します。

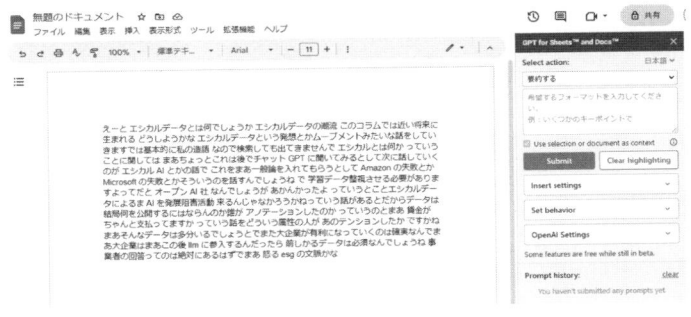

　テキストを範囲選択をしている場合は、選択範囲が ChatGPT に対する入力の対象になります。範囲選択していない場合はドキュメント全体が対象になり、要約結果などの ChatGPT が出力した内容はドキュメントの最下部に付与されます。挿入箇所は設定で変更することもできます。

デフォルトの設定のままだと、gpt-3.5-turbo が使われますが、右側メニューの「OpenAI Settings」の中から、gpt-4などの高性能なモデルが選択できます。

　以下が実際に音声認識された文章です。本書所収コラムのエシカルデータの資料を適当に Google Docs 上で読み上げたものです。

えーと エシカルデータとは何でしょうか エシカルデータの潮流 このコラムでは近い将来に生まれる どうしようかな エシカルデータという発想とかムーブメントみたいな話をしていきますでは基本的に私の造語 なので検索しても出てきませんで エシカルとは何か っていうことに関しては まあちょっとこれは後でチャット GPT に聞いてみるとして次に話していくのが エシカル AI とかの話で これをまあ一般論を入れてもらうとして Amazon の失敗とか Microsoft の失敗とかそういうのを話すんでしょうねで 学習データ整視させる必要がありますよってだと オープン AI 社 なんでしょうが あかんかったよ っていうとことエシカルデータによるま AI を発展阻害活動 来るんじゃなかろうかねっていう話があるとだからデータは結局何を公開するにはならんのか誰が アノテーションしたのか っていうのとまあ 賃金がちゃんと支払ってますか っていう話をどういう属性の人が あのテンションしたか ですかね まあそんなデータは多分いるでしょうとでまた大企業が有利になっていくのは確実なんでまあ大企業はまあこの後 llm に参入するんだったら 前しかるデータは必須なんでしょうね事業者の回答ってのは絶対にあるはずでまあ 怒る esg の文脈かな

　そしてこちらが ChatGPT によって要約されたものです。

> このコラムでは、エシカルデータという新たな概念について語られています。エシカルデータとは著者の造語で、エシカル AI の話題と関連しています。大企業が有利になる可能性があり、公開するデータの選択やアノテーションした人の属性、賃金の支払いなどが重要な要素となると述べています。また、エシカルデータが AI の発展を阻害する可能性があるという意見もあります。

　以上のように、Google Docs 上から音声認識を行い、そこからスムー

ズに ChatGPT による要約を行うことができました。このように、口述と要約を繰り返すことで、自己の考えを素早く整理し、テキストへと変換していくことが可能になります。

　また、このアドオンは要約だけでなく、「トーンを変える」「翻訳」「文法とスペルミスの修正」など様々な機能も利用できます。このほかにも、独自のプロンプトを利用することもできますので、Google Docs の上でAI 人格による対話を行わせ、アウフヘーベンを実現するといったことまでできてしまうでしょう。

Google Sheets から ChatGPT を使う

　ChatGPT に対して、様々なバリエーションのあるデータを投げ込んで、大量の結果を得たいことがあります。100件の自由記述のアンケートを要約したいという事例を考えてみましょう。一件一件、Web の ChatGPTのフォームに書き込んで要約させるのは大変ですよね。「プログラムで自動化してしまえばいいじゃないか」とも思いますが、プログラムを書くのはなかなか骨が折れます。

　そんな時は Google Sheets（Google スプレッドシート）から ChatGPTを呼び出してしまいましょう。これは先ほど紹介した「GPT for Sheets™and Docs™」で実現できます。

　「GPT for Sheets™ and Docs™」のインストール方法については、前項で書いているので、同じように API Key の入力から説明していきます。メニューの拡張機能から、「GPT for Sheets™ and Docs™」を選択し、Set API key を選択してください。

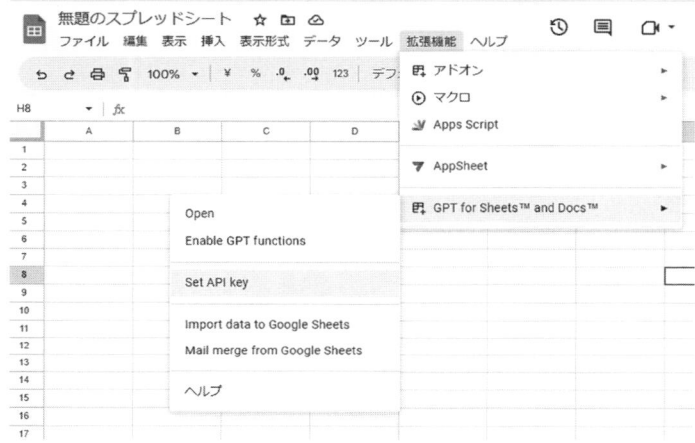

右に API Key 入力メニューが出てくるので、Key を貼り付け登録します。

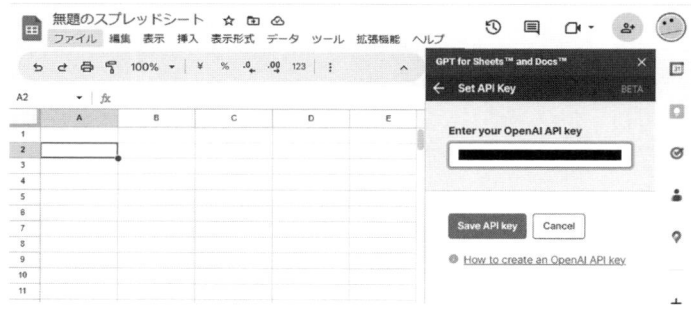

API Key の登録が終わったら、まずは動作確認をしてみましょう。スプレッドシート上で GPT という関数が利用可能になります。GPT 関数は引数の文字列を ChatGPT にリクエストし、その出力をそのまま出力してくれます。A1のセルに「=GPT("ここで一句")」と入れてみましょう。

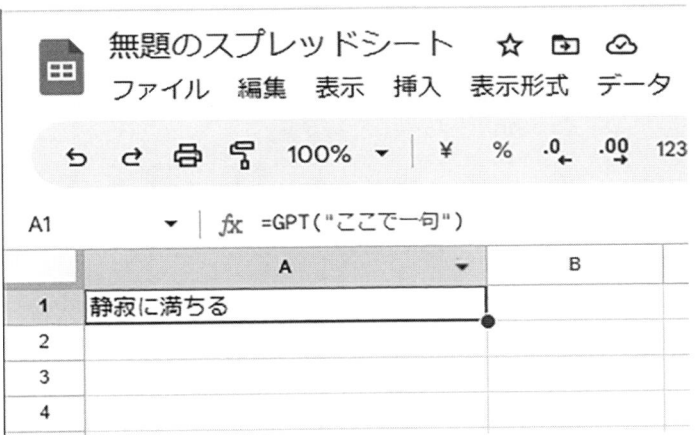

このように「ここで一句」という文字列によって、ChatGPT は「静寂に満ちる」というなかなかにウィットの効いた返しをしてきました。

どのような関数が使えるのかは、「GPT for Sheets™ and Docs™」のメニューから、「List of GPT functions」を選択することで確認できます。

今回はアンケートの自由回答文のような長文の要約をしたいので、まずは長文を ChatGPT に生成させてみましょう。様々な長文が欲しいので、メニューの中から Default settings を選択し、Creativity を Creative(出力の多様性を優先する)に、Max response size を Long に設定しましょう。

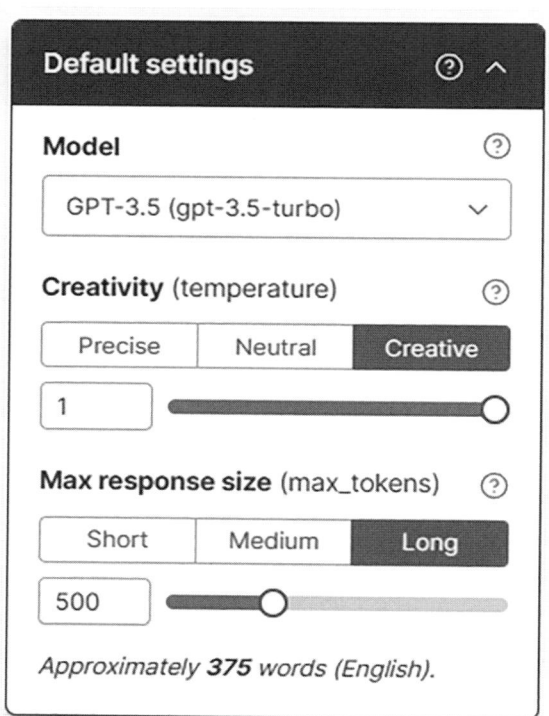

A1〜A5のセルに「=GPT("「神奈川県町田市の歴史」のレビュー記事を、200文字程度で作ってください。")」というプロンプトを入れてみましょう。これで神奈川県町田市に関する長文レビュー記事が5件でき上がります。さすが、ChatGPTは神奈川県町田市に詳しいですね（注：町田市は東京都。これはハルシネーションのある文章を無理やり出力させています）。

そして、B1のセルに「=GPT("次の文章を一言で要約してください。###" & A1)」と入れてください。これでB1にA1のセルを要約した内容が入ります。あとはB1のセルをB5まで貼り付けることで、A列の内容がB列に要約されます。

	A	B
A1	fx	=GPT("「神奈川県町田市の歴史」のレビュー記事を、200文字程度で作ってください。")

	A	B
1	「神奈川県町田市の歴史」は、興味深い情報が詰まった記事だ。町田市は古くから交通の要所として栄え、江戸時代には東海道の宿場町として栄えた。また、明治時代には製紙業や織維業が盛んになり、現在もその歴史を感じることができる。さらに、戦後には住宅地として発展し、現在では東京都心へのアクセスも良く、大都市の利便性と自然の豊かさを兼ね備えた魅力的な街となっている。町田市の歴史に触れることで、地域に根付いた文化や産業の発展を知ることができるだけでなく、地域の魅力にも触れることができるだろう。	町田市は交通の要所として栄え、製紙業や織維業の発展もあり、現在は都心へのアクセスも良い魅力的な街である。
2	神奈川県町田市の歴史は古く、奈良時代から人々が暮らしていたとされています。江戸時代には町田宿が栄え、藩政時代の歴史を偲ぶことができます。町田は農業や茶の栽培でも知られ、明治時代には近代化が進みました。また、第二次世界大戦後は住宅地として発展し、現代では商業施設や公園などが充実しています。町田市の歴史は、地域の発展とともに進化してきた魅力あるものです。	町田市は古くからの歴史を持ち、農業や茶の栽培で知られていたが、近代化が進み、現在は商業施設や公園などが充実している魅力的な地域である。
3	「神奈川県町田市の歴史」は、古くから江戸時代の繁興発展から現代まで進化を遂げた興味深い内容です。町田市はかつては農村地帯でしたが、戦後の東京の都市化に伴い急速に発展しました。町の歴史や文化遺産をたどりながら、読者は神奈川県町田市の成長と変化を追体験できます。また、地元住民の暮らしや地域の特産品にも触れられており、地理や文化に興味のある人にとって必読の一冊となっています。	神奈川県町田市の歴史と成長を追体験する興味深い本。地域の文化や特産品も紹介されている。
4	町田市は、神奈川県の市であり、古くから農業や工業で栄えました。また、戦国時代には武田信玄の勢力下にあるという歴史も持ちます。現在では、東京都心に近く、交通の利便性が高いことから人口が増え、都市部と自然が調和した魅力的な街となっています。町田市の歴史は、その成り立ちから現代に至るまで、地域の変遷や文化の発展を伝える興味深いものです。	町田市は、神奈川県にある魅力的な街で、古くから農業や工業が盛んであり、武田信玄の勢力下にあった歴史も持つ。現在は東京都心に近く、交通の利便性が高く、人口も増えている。町田市の歴史は地域の変遷や文化の発展を伝えており、興味深い。
5	町田市は神奈川県の中でも歴史的な町であり、江戸時代から栄えた商業の中心地です。町は古くから多くの人や物資が往来し、鎌倉時代には鎌倉街道が通過し、交通の要所として栄えました。また、戦国時代には町が築城され、城下町として発展。明治時代になると町田駅が開業し、近代化が進みました。戦後は住宅地や商業地として発展し、現在では都心へのアクセスも良く、住みやすい都市として注目を浴びています。町田市の歴史は、古くからの繁栄と近代化の歩みが感じられる興味深いものです。	町田市は歴史ある商業の中心地で、交通の要所として栄え、近代化も進んだ住みやすい都市。
6		

　この数式の説明をしておくと、&は文字列の結合です。したがって、要約せよというプロンプトの後ろに、A1のセルの内容を貼り付けているのです。これによりA1のセルの要約が可能になります。あとは数式の相対コピーによって、B1のセルをB2にコピーすることで、B2に貼り付けられた数式は自動的にA2が参照されるようになります。

　ちなみに「GPT for Sheets™ and Docs™」には、GPT_SUMMARIZEという要約のための関数があるのですが、裏側のプロンプトが英語で作られているようです。そのため、この関数に日本語の長文を渡すと、英語で出力されてしまうという問題があります。今回はGPTという素の関数を使って、自前で要約を行うプロンプトを作成することで、要約を実現しています。

プログラミングスキルで ChatGPT を高性能化する

Enhance ChatGPT with programming skills.

　プログラミングスキルが無くとも使えるのが ChatGPT の魅力ですが、プログラミングスキルがあると、できることはとたんに広がってきます。ましてや複雑なことを行わせようとすると、どうしてもプログラミングスキルが必要になってきます。

　実例として、ChatGPT にとって苦手なタスクを行わせたうえで、そのタスクをどうやって解決していくのかの実例を見てみましょう。

Chapter 4

> 3文字の果物の名前を10個挙げてください。

> 以下は3文字の果物の名前の例です：
>
> リンゴ
> 梨 (ナシ)
> 柿 (カキ)
> 葡萄 (ブドウ)
> 桃 (モモ)
> 蜜柑 (ミカン)
> 桑 (クワ)
> 椿 (ツバキ)
> 枇杷 (ビワ)
> 柚子 (ユズ)

　そこそこあってはいるものの、梨や柿といった、3文字ではない果物が含まれてしまっています。ChatGPT の元になった GPT は、あくまでも「次の言葉を予測する AI」なので、とりあえず果物の名前を出力してしまっているようです。

では、人間がこのタスクを行う場合はどのようにするのかを考えてみましょう。いきなり3文字の果物が浮かぶということはそうそうありません。とりあえず頭の中で果物の名前を挙げて、それが3文字かどうかを確認して、それから口に出すということをします。

　人間は「思い浮かべて、確認して、それから口に出す」ということをしていますが、ChatGPTは「とりあえず口に出す」という行動をしています。これが人間とChatGPTの決定的な差です。自分が出力しようとしているものを再確認しないのです。思い浮かべてからでないと考えられないようなもの、たとえば文字数を数えるなどを苦手としています。同じように、文字数（モーラ数）に制約がある俳句や短歌はなかなか規則にしたがったものを出力してくれません。

　そこで、ChatGPTが「とりあえず口に出してしまう」という性質を持っていると仮定して、うまくプロンプトを調整して、3文字の果物の名前を出力できるようにしてみましょう。

　「3文字の果物の名前を10個挙げる」という目的を、「果物の名前をランダムに挙げる」「文字数を数える」「3文字だったら名前を記録する」「記録された名前を出力する」という機能に分割して、それぞれを行うように指示します。

果物の名前を挙げてください。
名前を挙げるごとに、その名前が何文字だったかを出力してください。
3文字だった場合、記録しておいてください。
記録が合計10件になったら、記録されたものを全て出力してください。

分かりました、それでは始めていきましょう。

りんご：3文字 - 記録
みかん：3文字 - 記録
バナナ：3文字 - 記録

メロン：3文字 - 記録
パイナップル：6文字
キウイ：3文字 - 記録
スイカ：3文字 - 記録
レモン：3文字 - 記録
ブルーベリー：6文字
ぶどう：3文字 - 記録
グレープフルーツ：8文字
いちご：3文字 - 記録
3文字の果物名が10個に達しましたので、これを出力します：

りんご
みかん
バナナ
メロン
キウイ
スイカ
レモン
ぶどう
いちご

9個しか出力されませんでしたが、3文字の果物の名前のリストを得ることができました。

このようにあたかもプログラミング言語であるかのごとく ChatGPT を使うことで、目的とする答えを得ることができました。複雑なプロンプトエンジニアリングを行うには、プログラマーの考え方が必要になってきます。

プログラマーは、人間が無意識に行っている行動を、意識して言語化し、定型化し、コンピュータが実行可能な小問題に分解していきます。先述のプロンプトは、次のようなプログラムを頭の中で描いてから、逆算的に作られました。

```
name_list = []
while len(name_list) < 10:
    name = generate_fruits_name()
    if len(name) == 3:
        name_list.append(name)
print(name_list)
```

　このようなプログラムを自然言語で書き直すことで、ChatGPT に複雑
な動作を行わせることができたのです。プログラマーにとって、
ChatGPT はある程度機能が限定されたプログラミング言語であるかのご
とく、利用することができるのです。

　ChatGPT があるからといって、プログラミングスキルの価値が下がる
わけではありません。プログラミングスキルがあるからこそ、問題を分解
し、定型化できるから、よいプロンプトが作れるのです。そのため、プロ
ンプトエンジニアリングのために、プログラミングを学ぶことは回り道で
はないと考えます。

Column "ChatGPT Café" - Part 3
スレッド機能とトークン限界

　ChatGPT はやりとりをスレッドという形で保存します。ところが、一つのスレッドでずっと受け答えを行っていると、ChatGPT はよくわからない受け答えをすることがあります。

　これはなぜかというと、ChatGPT はスレッド内の文章を読み取った上で、一貫性のある回答をしようとするからです。スレッド内に複数の話題が混在していると、その適切でない話題に影響されて、間違った答えを返すことがあるからです。そのため、新しい話題を切り出したいのであれば、新しいスレッドを作って会話すると、ChatGPT の性能を維持して使うことができます。

　さて、ChatGPT はスレッド内の過去の文章を読み込んで、そのうえで返信を行います。しかし、読み込める過去の文章の長さには限界があります。

　ChatGPT で利用されている GPT-3.5 では 4097 トークン、GPT-4 では、通常 8192 トークン、最大で 32768 トークンの入力を受け取ります。詳細は次のURL から確認してください。
https://platform.openai.com/docs/models

　トークンというのはちょっと特殊な文字の数え方なのですが、日本語の場合、ひらがな、カタカナは 1 文字 1 トークン、漢字は利用頻度が高いものは 1 トークン、利用頻度が低いものは 2 ～ 3 トークンになります。英語の場合は、よく使われる単語は 1 単語 1 トークン、レアな単語や造語の場合は 2 ～ 5 文字程度で 1 トークンになります。

　OpenAI は、トークン化のデモンストレーションのためのウェブページを公開しています。

https://platform.openai.com/tokenizer

　以下は夏目漱石の『吾輩は猫である』の冒頭をトークン化した事例です。トークンごとに色分けされていますが、漢字は 1 文字が複数トークンに分割されてしまっており、文字化けが発生しています。

吾輩は猫である。名前はまだ無い。どこで生れたかとんと見当がつかぬ。何でも薄暗いじめじめした所でニャーニャー泣いていた事だけは記憶している。吾輩はここで始めて人間というものを見た。しかもあとで聞くとそれは書生という人間中で一番獰悪な種族であったそうだ。この書生というのは時々我々を捕えて煮て食うという話である。しかしその当時は何という考もなかったから別段恐しいとも思わなかった。

Clear Show example

Tokens   **Characters**
264   188

◆◆◆◆は◆◆◆である。◆◆◆◆はまだ◆◆い。◆◆こで生れたかとんと◆◆◆◆が◆◆か◆◆。◆◆でも◆◆◆◆◆い◆◆◆◆◆◆した◆◆でニャー◆◆ャー◆◆いていた◆◆だ◆◆は◆◆◆◆◆◆している。◆◆◆◆◆はここで◆◆◆◆て人◆◆というものを◆◆た。しかもあとで◆◆◆くと◆◆れは◆◆生という人◆◆中で一◆◆◆◆◆◆◆な◆◆◆◆であった◆◆うだ。この◆◆◆生というのは◆◆◆◆◆◆◆◆◆を◆◆◆◆て◆◆◆て◆◆うという◆◆◆である。しかし◆◆の◆◆◆◆◆は◆◆という◆◆もなかったから◆◆◆◆◆◆◆◆しいとも◆◆◆なかった。◆

TEXT   TOKEN IDS

　『吾輩は猫である』の冒頭では、188 文字の文章が 264 トークンに分割されました。日本語のトークンの消費量は、元の文章のおおよそ 1.4 倍となっています。ということは、GPT-3.5 では約 3000 文字弱、GPT-4 では約 6000 文字弱の文脈しか考慮してくれないということです。スレッドが長くなりすぎると、スレッド序盤のログがトークン制限によって利用されなくなり、文脈がわからなくなっていきます。

ChatGPT Café

ChatGPT との会話では、スレッドの最初に状況説明やお互いのロールを説明してから会話を始めることがよくあります。しかし、会話をしばらく続けていくと、序盤に説明した情報はトークン限界によって参照されなくなり、状況説明やロールを喪失し、最終的には直近の文脈を読んだだけの意味不明な受け答えへと変質してしまいます。

　トークン限界に到達しそうな場合は、議論の途中で議論内容を要約してもらい、要約された情報を新しいスレッドに移植することが求められます。このようなアプローチをとることで、トークン限界を回避することができます。

　トークン限界は「ChatGPT を利用する際には日本語よりも英語を使ったほうが良い」という理由の一つです。同じことを説明しようとすると、日本語は英語と比べてトークンを多く消費します。消費トークン数に対する情報量が少ない、ということです。そのため、英語よりも早い段階で文脈の喪失を起こすようになります。

　余談ですが、LLM における英語文献の学習量は、日本語のそれと比べ物にならないほど多いので、英語で質問をした方が精度の高い答えを得られます。

　そのため現状の ChatGPT では、日本語を使っていてはその真価を発揮させることはできない、という問題点があります。ChatGPT がうまく回答できていないと感じたら、DeepL などの英語翻訳サービスを使って、質問文を英語にしてから投げかけてみてください。そちらの方が良い結果を返すことがあります。

　日本語対応が弱いという点については、OpenAI 社の発表などを見ていると、近いうちに日本語の特化モデルができて改善される可能性はありそうです。

ChatGPT Café

第 5 章

ChatGPT と
プログラミング

ChatGPT を使えば、非プログラマーの人、これ
までプログラミングに興味がなかったという人で
も、驚くほど簡単にプログラムに取り組むことが
できます。すると、結果的にビジネスのサポート
になるような自動化や、面白い仕組みを自ら生み
出すことができる可能性が出てきます。

ChatGPT でプログラミングを学ぶ

Learn to code with ChatGPT.

ChatGPT は Web 上の多くのプログラミング関連のテキストから学習しています。そのため、ChatGPT にプログラムを尋ねると、比較的うまく答えてくれます。プログラミングは一般的な自然言語と比べ、規則性が極めて高いため、学習は行いやすいのだと思われます。

今回は ChatGPT で Python のプログラミングを学んでみましょう。環境構築には時間がかかるので、Web で Python が実行できるプラットフォームを ChatGPT に尋ねてみます。

Web 上で Python の実行ができるプラットフォームを教えて。

Python をオンラインで実行することができるプラットフォームはいくつかあります。以下にその一部を紹介します。

Google Colab: Google Colab は、Jupyter ノートブックをインターネット上で動かすことができる Google のサービスです。Google のクラウドストレージである Google ドライブとの連携も可能で、さらに無料で GPU を利用できます。

Repl.it: Repl.it は、ブラウザで直接コードを書き、実行することができるオンラインエディタです。Python の他にも様々なプログラミング言語をサポートしています。

Jupyter Notebook via Binder: Binder は、GitHub のリポジトリ内の Jupyter ノートブックをインターネット上で実行することができるサービスです。依存関係が含ま

れたリポジトリを提供することで、特定の Python 環境を再現することも可能です。

PythonAnywhere: PythonAnywhere は、ブラウザベースの Python 環境を提供するサービスです。Web アプリのホスティングも可能で、またスケジュールされたジョブの実行など、いくつかの高度な機能も提供しています。

これらのプラットフォームはそれぞれ異なる機能と利点を持っているので、目的によって適切なものを選択してください。ただし、これらのプラットフォームでは実行時間、メモリ、ストレージに制限がありますので、大規模な計算やデータ処理には適していない場合もあります。そのような場合は、自分のマシンやクラウドベースの計算リソースを利用することを検討してみてください。

　いくつか提案されましたが、ここでは一番上にある Google Colab を使ってみましょう。Google Colab は、Google が提供する Python のオンライン実行環境です。Google アカウントを持っているだけで、Python が実行でき、Python のスクリプトの実験や機械学習を行うことができます。Google Colab にアクセスするには https://colab.research.google.com/ にアクセスするか、「colab」で検索してください。

　一番最初の画面で迷ってしまうかと思いますが、書いてあることは無視して、左上のファイルから、「ノートブックの新規作成」を選択してください。

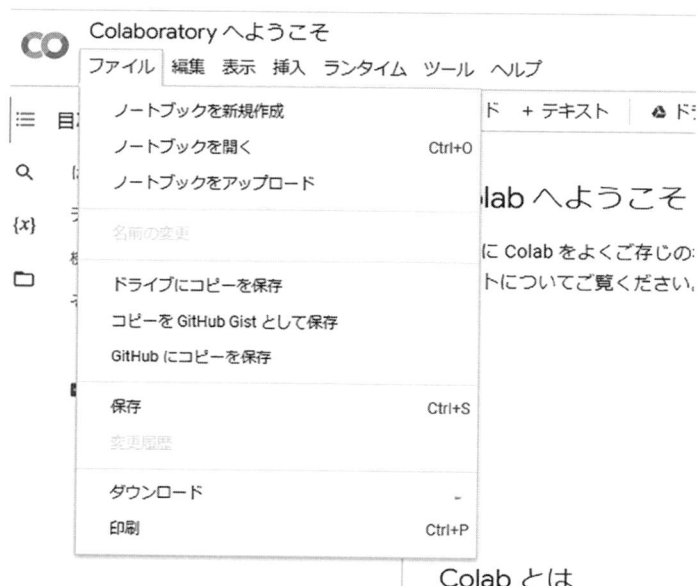

Colab とは

　Google Colab の基本的な使い方は、プログラムを書いたら Shift + Enter を押すことです。これで、セル内に書いた Python のプログラムが実行されます。それでは基本的な使い方が分かったところで、ChatGPT に聞きながらプログラミングを勉強してみましょう。

 # Pythonのプログラ
ミングを勉強する
Learn to program Python.

それでは Python の実行環境ができたところで ChatGPT に尋ねながら
勉強してみましょう。

> 私はプログラミングの初心者です。
> Python のプログラミングを1から勉強したいです。
> 学習のためのカリキュラムを作ってください。
> Google Colab での実行環境は整備済みです。

> もちろんです、Python プログラミングを始めるための基
> 本的な学習カリキュラムを以下に示します。
>
> **週1：プログラミングと Python の基礎**
> 1. プログラミングとは何か、Python とは何か理解する
> 2. Google Colab の基本的な使い方を学ぶ
> 3. Python の基本的なデータ型を学ぶ（整数、浮動小数点数、
> 文字列、真偽値）
> 4. 変数と代入について学ぶ
>
> **週2：Python の基本的な構文とデータ構造**
> 1. 条件分岐（if 文）について学ぶ
> 2. ループ（for 文と while 文）について学ぶ
> 3. Python の基本的なデータ構造を学ぶ（リスト、タプル、
> 辞書、セット）
> 4. 関数について学ぶ
>
> **週3：ファイル操作と例外処理**
> 1. ファイルの読み書きについて学ぶ
> 2. 例外処理について学ぶ

週4：Pythonのライブラリ

1. Pythonの標準ライブラリについて学ぶ
2. NumPyについて学ぶ
3. pandasについて学ぶ

週5：Pythonを使ったデータ分析

1. データの読み込みと整形について学ぶ
2. データの基本的な統計処理について学ぶ
3. データの可視化について学ぶ

週6：PythonによるWebスクレイピング

1. Webスクレイピングの基本について学ぶ
2. BeautifulSoupによるHTMLの解析について学ぶ

週7：PythonによるWeb開発

1. Flaskの基本について学ぶ
2. Flaskを使った簡単なWebアプリの作成について学ぶ

週8：Pythonによる機械学習

1. 機械学習の基本的な概念について学ぶ
2. scikit-learnを使った簡単な機械学習モデルの訓練と評価について学ぶ

各トピックについては、公式のPythonドキュメンテーション、オンラインの教材、書籍などを参照しながら学習を進めてみてください。また、理解を深めるためには、実際に手を動かしてコードを書き、エラーが出たときにはどのように解決すれば良いのかを考えることが重要です。それぞれの週で学んだことを応用して小さなプロジェクトを作ってみると、学びが定着するでしょう。

Pythonの基礎からWebサービスの開発、機械学習の基礎まで一気通貫したカリキュラムが生成されました。それでは具体的な項目について聞いてみましょう。

Pythonの基本的なデータ構造を学ぶ（リスト、タプル、

辞書、セット）について教えてください。

Pythonの基本的なデータ構造としてリスト、タプル、辞書、
セットがあります。

1. **リスト** (List): リストは複数の要素を順序付けて保存す
るためのデータ構造で、リストの各要素は0から始まるイ
ンデックスで参照できます。リストは可変（要素の追加、
削除、変更が可能）で、異なる型の要素を含めることが可
能です。

例：

```
my_list = [1, 2, "three", 4.0]
print(my_list[ 2 ])  # "three"
my_list[ 2 ] = "changed"
print(my_list)  # [1, 2, "changed", 4.0]
```

（中略）

これらのデータ構造は、Pythonプログラミングで非常に
頻繁に使用され、それぞれが異なる特性と用途を持ってい
ます。具体的な用途は、問題や要件によりますが、これら
を理解し、適切に使い分けることはPythonの効率的なコー
ディングに必要不可欠です。

　基礎的なデータ構造について教えてくれました。あとはこのコードを
Colabにコピーして実行してみて挙動を確かめてみれば良いのです。一番
上に書かれているリスト構造のサンプルコードを実行してみましょう。コ
ピーしてShift + Enterで実行です。

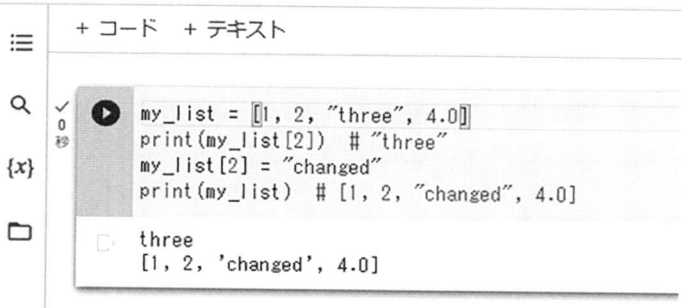

```
my_list = [1, 2, "three", 4.0]
print(my_list[2])  # "three"
my_list[2] = "changed"
print(my_list)  # [1, 2, "changed", 4.0]
```

```
three
[1, 2, 'changed', 4.0]
```

　うまく実行できたでしょうか？このような形で ChatGPT にプログラム
を出力させてみて、それを Colab で実行することで、プログラミングの
学習はできてしまいます。そして、自分でプログラムを改造してみて、挙
動の変化を確かめて、というのを繰り返していけばある程度までは上達で
きます。これからの時代には、自らの学習のために AI に適切な質問がで
きる人が強い、という時代が来るでしょう。

　あとは、出力されたカリキュラムを上から順次 ChatGPT に尋ねていく
だけで、Python の勉強をある程度まではできてしまいます。

複雑なプログラムを解説してもらう

Have a complex program explained to you.

以下は職業プログラマーが書きがちな、少し複雑なコードです。

```python
items = [" バナナ "," みかん "," かき "," パイナップル "," もも "," いちご "]
items = list(filter(lambda item: len(item) > 2, items))
print(items)
```

　これはどのようなことを行っているコードなのでしょうか？　ChatGPT
に尋ねてみましょう。プログラムを ChatGPT に渡す場合、バッククオー
テーション 3 個でプログラムの開始と終了を囲むと、うまく読み込んでく
れます。これは Markdown 記法におけるコードブロックの表現で、囲ま
れた領域がプログラムであることを示すものです。

以下のコードを解説して

```python
items = [" バナナ "," みかん "," かき "," パイナップル "," もも ","
いちご "]
items = list(filter(lambda item: len(item) > 2, items))
print(items)
```

この Python コードは、リスト内の要素（ここでは文字列）
の長さをチェックして、その長さが 2 より大きいものだけ
を新しいリストに抽出するという操作を行っています。

各行を詳細に解説します。

```python
items = [" バナナ "," みかん "," かき "," パイナップル "," もも ","
いちご "]
```

上記の行では、フルーツの名前のリスト（文字列のリスト）
を作成しています。

次に、

```
items = list(filter(lambda item: len(item) > 2, items))
```

この行では、リスト `items` をフィルタリングしています。
フィルタリングのための条件は `lambda item: len(item) >
2` という無名関数（ラムダ関数）で指定されています。
この関数はリストの各要素（ここでは `item`）を引数に取
り、その要素の長さ（ここでは文字列の長さ）が2より大
きいかどうかを評価します。

この `filter` 関数は新しいイテレータを生成します。これ
は遅延評価され、実際にアクセスされるまでその要素は計
算されません。そのため、ここでは `list` 関数を使用して
すぐにリストに変換しています。

最後に、

```
print(items)
```

この行で、フィルタリングされた新しいリスト `items` を
出力します。

このコードを実行すると、元のリストから文字数が2文字
より多いフルーツの名前だけが選択されて新しいリストが
生成され、その結果が出力されます。

なるほど、どうやらこのプログラムは2文字よりも長い名前のフルーツ
を取り出すものだったようです。では、このプログラムを分かりやすく書
き直してもらいましょう。

 このプログラムを分かりやすく書き直して。

 こちらはラムダ式と filter 関数を使わず、より読みやすく
書き直したコードです：

```
# フルーツのリストを作成
items = ["バナナ","みかん","かき","パイナップル","もも",""
```

```
いちご"]

# 空のリストを新しく作成
filtered_items = []

# 元のリストの各アイテムに対して、その長さが 2 より大
きければ新しいリストに追加
for item in items:
    if len(item) > 2:
        filtered_items.append(item)

# フィルタリングされたリストを出力
print(filtered_items)
```

このコードは、元のコードと同じく、文字列の長さが 2 よ
り大きいフルーツの名前だけを選択して新しいリストを生
成します。ただし、ここではラムダ式や filter 関数を使わず、
for ループと if 文を使っているので、プログラムの流れが
より直感的に理解しやすくなっています。

filter や lambda といった、初心者にとって難しい機能が利用されてい
ないコードが出力されました。これであれば理解できる人は多いのではな
いでしょうか？　自分が理解できない複雑なプログラムに出会った際は、
ChatGPT に入れてみて解説させてみることをお勧めします。

ウェブサイトから情報収集を行う
Collect information from websites.

次は、ウェブサイトからの情報収集を行ってみましょう。今回は試しに、
総務省の最新の報道資料を収集するコードを書かせてみます。情報収集を
行うコードを作るには「スクレイピング」という専門用語を使います。こ
れは削る（scraping）という意味ですが、ウェブプログラミングの文脈で
は、ウェブサイトから情報を取得してきて、必要な部分だけ抽出する（削

り取る）という意味になります。そのため、この言葉を一言使うだけで、ウェブサイトから情報を取得するプログラムが出来てしまいます。

総務省の報道資料一覧をスクレイピングするコードを教えて。

https://www.soumu.go.jp/menu_news/s-news/index.html

まず、Python を用いた総務省の報道資料一覧をスクレイピングするための基本的なコードを以下に示します。このコードは、最新の報道リリースのタイトルとそのリンクを取得するものです。

このコードでは、BeautifulSoup と requests という Python のライブラリを使用します。まだこれらのライブラリがインストールされていない場合は、以下のコマンドを実行してインストールします。

pip install beautifulsoup4
pip install requests

次に、スクレイピングのコードを示します。

```
import requests
from bs4 import BeautifulSoup

# 総務省の報道資料一覧の URL
url = "https://www.soumu.go.jp/menu_news/s-news/index.html"

# URL から HTML を取得
response = requests.get(url)
response.encoding = response.apparent_encoding  # 文字コードを適切に設定

# BeautifulSoup オブジェクトを生成
```

```
soup = BeautifulSoup(response.text, "html.parser")

# ニュースリリースのリストを取得
news_list = soup.find_all("li", class_="m-feed__item")

for news in news_list:
    title = news.find("a").text  # タイトルを取得
    link = news.find("a").get("href")  # リンクを取得
    print(title, link)
```

注意点として、Web スクレイピングはサイトに負荷をか
ける可能性があるため、短時間に大量のリクエストを送信
しないように注意が必要です。また、Web サイトの構造
が変わるとスクレイピングのコードも変更する必要がある
ことも留意しておいてください。

また、特定の Web サイトをスクレイピングする際には、
そのサイトの利用規約やロボット排除基準（robots.txt）
を確認し、違反しないように注意しなければなりません。
スクレイピングがサイトの規約に違反する場合、法的な問
題につながる可能性もあります。

　それっぽいプログラムができてきました。requests はウェブサイトか
ら情報を取得するライブラリであり、BeautifulSoup は HTML のテキスト
データからスクレイピングを行うライブラリのようです。それではこのプ
ログラムを Colab に入れて実行してみましょう。プログラムを Colab に
コピーして、Shift + Enter で実行します。

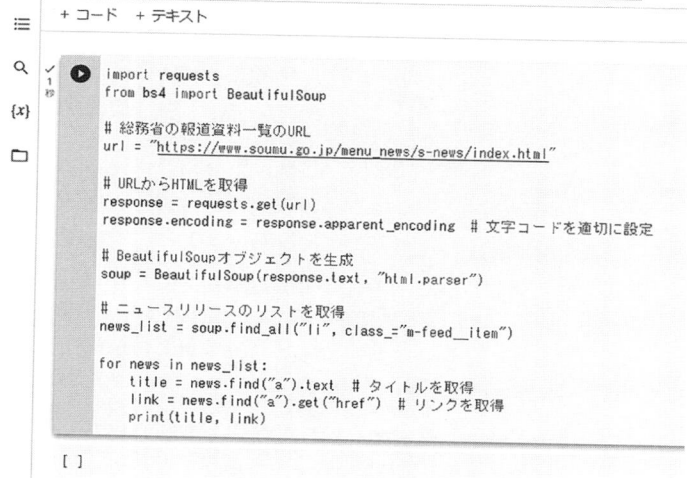

+ コード + テキスト

```python
import requests
from bs4 import BeautifulSoup

# 総務省の報道資料一覧のURL
url = "https://www.soumu.go.jp/menu_news/s-news/index.html"

# URLからHTMLを取得
response = requests.get(url)
response.encoding = response.apparent_encoding  # 文字コードを適切に設定

# BeautifulSoupオブジェクトを生成
soup = BeautifulSoup(response.text, "html.parser")

# ニュースリリースのリストを取得
news_list = soup.find_all("li", class_="m-feed__item")

for news in news_list:
    title = news.find("a").text  # タイトルを取得
    link = news.find("a").get("href")  # リンクを取得
    print(title, link)
```

[ ]

実行結果は何も表示されませんでした。総務省のサイトを解析しないで書かれているコードなので、それはそうですよね。改造するためには find_all と find の仕様を知らないといけなさそうなので、これについて聞いてみます。

 soup.find_all と news.find はどういう仕様ですか？

 `BeautifulSoup` ライブラリの `find_all` メソッドと `find` メソッドは、HTML や XML 文書から特定のタグを持つ要素を探すためのメソッドです。

- `find_all`：文書内のすべてのタグを見つけてリストとして返すメソッドです。引数には検索したいタグ名を文字列で指定します。また、クラスや id などの属性に基づいて特定のタグを探すことも可能です。

例えば以下のように使用します：

```
# "div" タグのすべてを探す
divs = soup.find_all('div')

# class 名が "my_class" のすべての "div" タグを探す
divs = soup.find_all('div', class_='my_class')
```

- `find`: 文書内で最初に見つかった指定したタグを返すメソッドです。`find_all` メソッドと同様に、引数には検索したいタグ名を文字列で指定します。

例えば以下のように使用します:

```
# "div" タグのうち最初に見つかったものを探す
div = soup.find('div')

# class 名が "my_class" の "div" タグのうち最初に見つかったものを探す
div = soup.find('div', class_='my_class')
```

これらのメソッドは `BeautifulSoup` オブジェクトだけでなく、検索した結果からさらに要素を検索するためにも使用できます。これにより、特定の要素の中からさらに具体的なタグを探すことが可能になります。

　find_all は条件にマッチするタグの全てのリストを返して、find は条件にマッチしたタグを 1 つだけ返す関数だと分かりました。以上から、このプログラムは本を 1 冊単位で取得し、そののちに本のタイトルなどの詳細を取得しているのだと分かります。

　では総務省の報道資料ページのソースコードを読んでみて、プログラムを少し修正してみましょう。ウェブページは HTML と呼ばれる言語で書かれており、タグの入れ子の関係でオブジェクトの親子関係を明示していきますが、これは本書の射程外なので説明は割愛します。

```
328  <table class="tableList">
329  <caption><strong>報道資料一覧：2023年7月</strong></caption>
330
331  <th class="mainTtl" scope="col">発表日</th>
332  <th colspan="2" class="mainTtl" scope="colgroup">内容</th>
333  </tr>
334  <tr>
335  <td scope="row" class="nw">2023年7月10日</td>
336  <td><a href="/menu_news/s-news/01kanbo01_02000973.html">令和5年7月10日付　総務省人事</a></td>
337  <td style="width:10em;">大臣官房</td>
338  </tr>
339  <tr>
340  <td scope="row" class="nw">2023年7月9日</td>
341  <td><a href="/menu_news/s-news/01kanbo01_02000972.html">令和5年7月9日付　総務省人事</a></td>
342  <td style="width:10em;">大臣官房</td>
343  </tr>
344  <tr>
345  <td scope="row" class="nw">2023年7月8日</td>
346  <td><a href="/menu_news/s-news/01kanbo01_02000970.html">令和5年7月8日付　総務省人事</a></td>
347  <td style="width:10em;">大臣官房</td>
348  </tr>
349  <tr>
350  <td scope="row" class="nw">2023年7月8日</td>
351  <td><a href="/menu_news/s-news/01kanbo01_02000969.html">総務省顧問の発令</a></td>
352  <td style="width:10em;">大臣官房</td>
353  </tr>
354  <tr>
355  <td scope="row" class="nw">2023年7月7日</td>
356  <td><a href="/menu_news/s-news/01kanbo01_02000968.html">令和5年7月7日付　総務省人事</a></td>
357  <td style="width:10em;">大臣官房</td>
358  </tr>
359  <tr>
360  <td scope="row" class="nw">2023年7月7日</td>
361  <td><a href="/menu_news/s-news/01kiban02_02000490.html">「電気通信事業分野における市場検証(令和4
362  <td style="width:10em;">総合通信基盤局</td>
363  </tr>
```

　1件ごとの固まりは <tr>、日付は <td class="nw">、タイトルとリン
クは <a> から取得できそうです。また、一個目の <tr> はタイトル行なの
でスキップするとよさそうです。

```
import requests
from bs4 import BeautifulSoup

# 総務省の報道資料一覧の URL
url = "https://www.soumu.go.jp/menu_news/s-news/index.html"

# URL から HTML を取得
response = requests.get(url)
response.encoding = response.apparent_encoding  # 文字コードを適切に
設定

# BeautifulSoup オブジェクトを生成
soup = BeautifulSoup(response.text, "html.parser")

# ニュースリリースのリストを取得
news_list = soup.find_all("tr")
```

```
news_list.pop(0) # 最初の１件はタイトル行なのでスキップ

for news in news_list:
    date = news.find("td", class_="nw").text # 日時を取得
    title = news.find("a").text # タイトルを取得
    link = news.find("a").get("href") # リンクを取得
    print(date, title, link)
```

そして、下記が取得されたニュース一覧です。

2023年7月10日 令和5年7月10日付　総務省人事 /menu_news/s-news/01k
anbo01_02000973.html 2023年7月9日 令和5年7月9日付　総務省人事 /
menu_news/s-news/01kanbo01_02000972.html 2023年7月8日 令和5年7月
8日付　総務省人事 /menu_news/s-news/01kanbo01_02000970.html 2023
年7月8日 総務省顧問の発令 /menu_news/s-news/01kanbo01_02000969.
html 2023年7月7日 令和5年7月7日付　総務省人事 /menu_news/s-news/0
1kanbo01_02000968.html 2023年7月7日「電気通信事業分野における市場
検証 (令和4年度) 年次レポート (案)」、「電気通信事業分野における市場検
証に関する基本方針 (案)」及び「電気通信事業分野における市場検証に関
する年次計画 (令和5年度)(案)」に対する意見募集 /menu_news/s-news/0
1kiban02_02000490.html 2023年7月7日「内部統制制度の運用上の課題に関
する研究会」の開催 /menu_news/s-news/01gyosei01_02000296.html 2023
年7月7日「医療情報を取り扱う情報システム・サービスの提供事業者にお
ける安全管理ガイドライン第1.1版 (案)」に対する意見募集の結果及び当
該ガイドラインの公表 /menu_news/s-news/01ryutsu06_02000359.html
2023年7月7日 河川の陸閘 (りっこう) の管理・運用に関する調査 ＜結果
に基づく勧告＞ /menu_news/s-news/hyouka_230707000166858.html 2023
年7月7日 令和5年度多様な広域連携促進事業の委託団体の決定 /menu_
news/s-news/01gyosei03_02000084.html 2023年7月7日「情報信託機能の
認定に係る指針 Ver3.0 (案)」に対する意見募集の結果及び「情報信託機
能の認定に係る指針 Ver3.0」の公表 /menu_news/s-news/01ryut
su06_02000358.html 2023年7月7日 令和5年7月7日付　公害等調整委員会事
務局人事 /menu_news/s-news/01kougai01_20230707jinji.html 2023年7月7
日 令和4年度第2次補正予算「デジタル活用支援推進事業」の公募に係る

189

採択の結果（地域連携型の事業実施団体）/menu_news/s-news/01ryut su02_02000365.html 2023年7月7日 令和5年度消防団入団促進広報に関する 告知イベントの実施 /menu_news/s-news/01shoubo01_02000739.html 2023年7月7日 家計調査報告（二人以上の世帯）2023年（令和5年）5月分 /menu_news/s-news/01toukei07_01000238.html 2023年7月6日 日ルーマ ニアイノベーションフォーラムの結果 /menu_news/s-news/01tsushin08_ 02000157.html 2023年7月6日 令和5年7月6日付　総務省人事 /menu_news/s- news/01kanbo01_02000967.html

　総務省のニュース一覧をうまく取り出すことができました。リンク先の アドレスも取得出来ているので、ここからさらにリンク先をたどって、ニ ュース本文の情報収集を行うことも可能でしょう。とはいえ、プログラミ ングそのものについては本書の射程外なので、本件についてはここで筆を 置きます。ChatGPT に尋ねながら続きを実装してもよいでしょう。

プログラムから ChatGPT の API を呼び出す

Call ChatGPT's API from a program.

ChatGPT がなぜここまで話題になっているかというと、リリース当初から API が公開されており、プログラムに組み込んで使えていたことにあります。素人が Web の ChatGPT を用いて、新しい使い方を発見したり、自動化の可能性を見つけ、プログラマーがそのプロンプトをプログラムに組み込んで活用していく。そういう流れがリリース当初から見えたため、IT 産業全体で話題になっているのです。

それでは ChatGPT に ChatGPT の API の利用の仕方を教えてもらいましょう。

 ChatGPT の API を呼び出すプログラムを教えて。

 OpenAI が提供する API を呼び出すための Python コードの基本的な例は以下の通りです。ただし、API キーとモデル名が必要になります。ここでは、API キーは "your-api-key"、モデル名は "ChatGPT" としています。

```
import openai

# あなたの API キーを設定します
openai.api_key = 'your-api-key'

response = openai.ChatCompletion.create(
  model="ChatGPT",  # 使用するモデルの名前
  messages=[
        {"role": "system", "content": "You are a helpful
assistant."},
```

```
        {"role": "user", "content": "Who won the world series
in 2020?"},
    ]
)

print(response.choices[ 0 ].message['content'])
```

このコードは、OpenAI の ChatCompletion API を使用
して、ユーザーの質問に対する AI の応答を生成します。
'messages' パラメータは 2 つのメッセージを含み、最初
のメッセージは AI の役割を定義し、次のメッセージはユー
ザーからの入力です。

このコードはあくまで一例で、あなたのニーズに合わせて
さまざまな変更が可能です。OpenAI の API は非常にフレ
キシブルであり、特定のコンテクストやニーズに合わせた
応答を生成することが可能です。

なお、具体的な API キーや API の呼び出し方は、OpenAI
の公式ドキュメンテーションを参照することをおすすめし
ます。

ただし、API キーは非常に重要な情報であり、第三者に知
られると不正利用される可能性があります。そのため、絶
対に公開したり、不適切な場所で保管したりしないように
してください。

このプログラムを Colab で実行してみます。

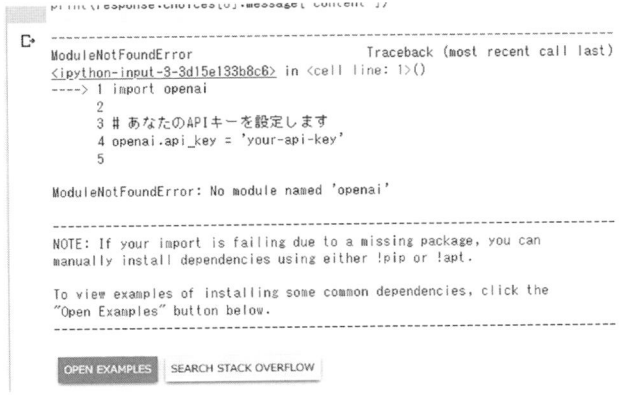

すると1行目でエラーになりました、import openai が通らないようです。このエラーについて尋ねてみましょう。

ModuleNotFoundError: No module named 'openai'
というエラーが出ました。どのようにしたら解決できますか？　環境は Google Colab です。

Google Colab では、必要なパッケージを直接インストールすることができます。このエラーはおそらく openai モジュールがインストールされていないために起きています。この問題を解決するためには、Google Colab のノートブックで次のコマンドを実行して openai パッケージをインストールします。

!pip install openai
このコマンドは Python のパッケージ管理ツールである pip を使用して openai パッケージをインストールします。! は Google Colab でシェルコマンドを実行するための特殊な記号です。

> インストールが完了したら、もう一度元のコードを実行し
> てみてください。ModuleNotFoundError が解消され、コー
> ドが正しく動作するはずです。

　解決方法を教えてくれました、どうやら `!pip install openai` を実行す
れば必要なライブラリはインストールできそうです。これを Colab に入
れて実行してライブラリをインストールしたうえで、先のプログラムを再
度実行してみましょう。

```
--------------------------------------------------------------------
AuthenticationError                        Traceback (most recent call last)
<ipython-input-5-3d15e133b8c6> in <cell line: 6>()
      4 openai.api_key = 'your-api-key'
      5
----> 6 response = openai.ChatCompletion.create(
      7     model="ChatGPT",  # 使用するモデルの名前
      8     messages=[

                               ✿ 4 frames
/usr/local/lib/python3.10/dist-packages/openai/api_requestor.py in _interpret_response_line(self
rheaders, stream)
    761         stream_error = stream and "error" in resp.data
    762         if stream_error or not 200 <= rcode < 300:
--> 763             raise self.handle_error_response(
    764                 rbody, rcode, resp.data, rheaders, stream_error=stream_error
    765             )

AuthenticationError: Incorrect API key provided: your-api-key. You can find your API key at
https://platform.openai.com/account/api-keys.

SEARCH STACK OVERFLOW
```

すると、今度は API Key が間違っていると言われました。エラーメッセージを読むと、以下の URL にアクセスすれば API Key が取得できるようです。

https://platform.openai.com/account/api-keys

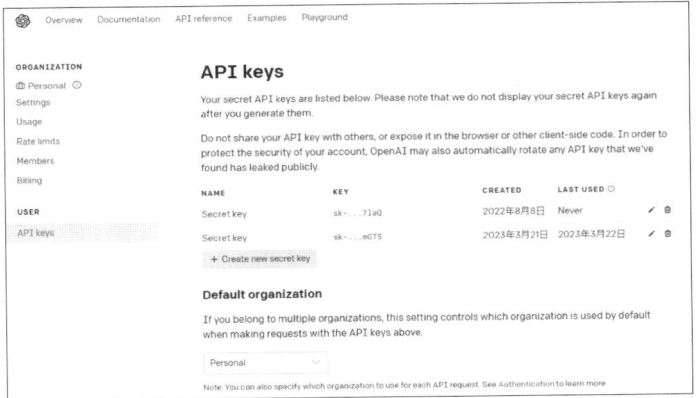

　ここで Create new secret key のボタンを押して、Key の名前を設定して、新しい API Key を生成します。API key は一度生成したら、二度と見られないので、コピーしておくことを忘れないでください。API Key を忘れてしまったら、また新しい API Key を作りましょう。

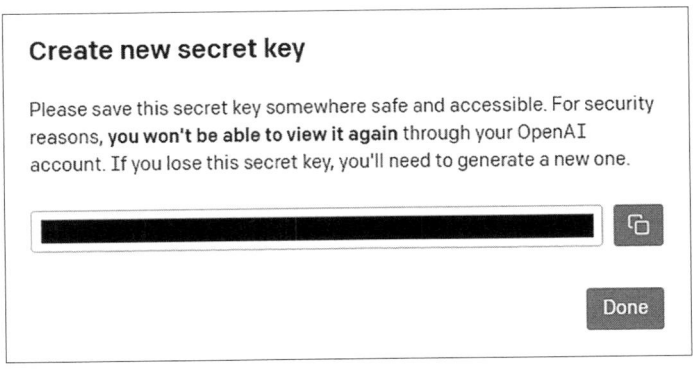

　また、API の利用は従量制課金です。そのためクレジットカードの登録

が必要です。左側のメニューの Billing（支払い）から、クレジットカードの登録をしてください。Usage limits（利用上限）の設定も忘れないようにしておきましょう。デフォルト値で120ドルが設定されているので、どれだけプログラムを走らせても、最悪120ドルで済みます。プログラムの暴走による大量課金が怖いのであれば、5ドル程度に設定しておきましょう。5ドルでもかなり使えます。GPT-3.5を使うのであれば、5ドルで1000回以上やり取りができます。金額の詳細は Pricing（https://openai.com/pricing）から調べてください。

　さて、先のプログラムに API Key をコピーして実行してみましょう。すると次のようなエラーが出てきました。

InvalidRequestError: The model `ChatGPT` does not exist

　どうやら `ChatGPT` というモデルが存在しないようです。これも ChatGPT に聞いてみましょう。

> InvalidRequestError: The model `ChatGPT` does not exist
> というエラーが出ました、どうすれば解決できますか？

> そのエラーメッセージは、指定されたモデル名が存在しないことを示しています。OpenAI では、モデルのバージョンによっては異なる名前が使われている場合があります。
>
> 具体的なモデル名の例としては、text-davinci-002, text-curie-003, gpt-3.5-turbo などがあります。ChatGPT について言えば、そのバージョンは定期的に更新されており、それぞれ異なる名前が使われています。
>
> したがって、エラーが出た原因は、おそらく API 呼び出しで指定されたモデル名が間違っているか、そのモデルが存在しないか、もしくは現在利用できない状態にあるためだと考えられます。
>
> 解決策としては、使用したいモデルの正確な名前を確認し、

それを API 呼び出しに使用することです。OpenAI の公式
ドキュメンテーションやウェブサイトで使用可能なモデル
のリストとその詳細を確認できます。

例えば、GPT-3.5-turbo を使いたい場合は以下のようにし
ます。

```
response = openai.ChatCompletion.create(
  model="gpt-3.5-turbo",  # 使用するモデルの名前
  messages=[
        {"role": "system", "content": "You are a helpful
assistant."},
        {"role": "user", "content": "Who won the world series
in 2020?"},
    ]
)
```

これにより、指定したモデル名の問題が解消され、API 呼
び出しが正常に行われるはずです。

では、モデルの名前を "gpt-3.5-turbo" に置き換えて実行してみましょう。
ちなみに利用可能なモデル名は以下にあります。

https://platform.openai.com/docs/models

最終的なプログラムは次のようになります。

```
import openai

openai.api_key = 'sk█████████████████████████████'

response = openai.ChatCompletion.create(
  model="gpt-3.5-turbo",  # 使用するモデルの名前
  messages=[
        {"role": "system", "content": "You are a helpful assistant."},
        {"role": "user", "content": "Who won the world series in 2020?"},
    ]
)

print(response.choices[0].message['content'])
```

`The Los Angeles Dodgers won the World Series in 2020.`

The Los Angeles Dodgers won the World Series in 2020. という答え
がかえってきました。どうやらうまく動いているようです。

この message の中の role はどういう役割なのか、これも ChatGPT に
聞いてみましょう。

role はどういう意味ですか？

OpenAI の Chat API では、'role' フィールドはコンテキス
トとしてのメッセージの役割を定義します。'role' フィー
ルドには一般的には以下の3つの値が使用されます：

1. 'system': これは通常、AI の振る舞いを設定するのに使
用されます。例えば、"You are a helpful assistant." とい
うメッセージを与えることで、AI に対して協力的なアシ
スタントとして振る舞うよう指示を出すことができます。

2. 'user': これはユーザーからの入力を表します。ユーザー
の質問や指示を含むことが一般的です。

3. 'assistant': これは AI 自身の応答を表します。過去の応
答を再利用して新しい応答を生成する際に使用することが
あります。

したがって、'role' フィールドはメッセージがシステムか
らのものなのか、ユーザーからのものなのか、それとも
AI アシスタントからのものなのかを定義します。これに
より、AI はどのメッセージが指示であり、どのメッセー
ジが質問であり、どのメッセージが応答であるかを理解す
ることができます。

これらの役割を組み合わせることで、ユーザーと AI アシ
スタントの間で流暢な会話を作り出すことができます。

これを見る限り、単発の質問をする限りは system と user だけ与えれ
ばよさそうです。system には期待する振る舞いを渡して、user に質問文
を渡せばよさそうです。

それでは API を利用して、物理学者にクイズを作ってもらいましょう。

```
import openai

openai.api_key = 'sk███████████████████████████████

response = openai.ChatCompletion.create(
    model="gpt-3.5-turbo",  # 使用するモデルの名前
    messages=[
        {"role": "system", "content": "あなたは物理学者です。"},
        {"role": "user", "content": "天王星に関する4択クイズを作ってください"},
    ]
)

print(response.choices[0].message['content'])
```

```
1．天王星の直径は地球の何倍か？
a）2倍
b）4倍
c）8倍
d）16倍

2．天王星の自転周期は地球の自転周期と比べて約何倍か？
a）4倍
b）8倍
c）16倍
d）32倍

3．天王星の大気の主成分は何か？
a）酸素
b）二酸化炭素
c）水素
d）メタン

4．天王星は他の惑星と比べてどのような特徴を持つか？
a）自転軸が水平に傾いている
b）自転軸が90度傾いている
c）軌道が楕円形である
d）重力が地球の約2倍である
```

　ちなみに資料を当たりながら答えを調べてみると、1問目は b、2問目は答えなし（自転周期は約17時間なので、0.7倍）、問3は c、問4は a,b（赤道系射角は約98度で自転軸が横倒しになっている、公転面にたいしてはだいたい水平になっていると言える）ですが、厳密に答えると c（公転する惑星は基本的には楕円軌道）という感じです。クイズは典型的な知識を問う問題であり、また GPT-4ではなく GPT-3.5なので、ハルシネーションが起こってしまっているようです。

　とはいえ、たったこれだけのスクリプトで ChatGPT が呼び出せてしまったのは脅威としか言いようがありません。ChatGPT を既存のアプリケーションに組み込むことも、それほど難しくないことは想像に難くないでしょう。

余録：DALL·E2で画像生成してみる

Try to generate images with DALL·E2.

OpenAI 社の API が使えるようになったので、せっかくなので同社の画像生成 AI である DALL·E2 を用いて、画像生成してみましょう。API Key は、ChatGPT の API で使ったものと同一のもので大丈夫です。

コードはたったこれだけです。API Key をセットして、画像生成を依頼して、URL を表示するだけです。

```python
import openai

openai.api_key = 'YOUR_API_KEY'

response = openai.Image.create(
    prompt="A kitten play chess.",
    n=1,
    size="1024x1024"
)

print(response['data'][ 0 ]['url'])
```

プログラムを実行すると URL が生成されて返されるので、その URL を開くと生成された画像を得ることができます。

　見事にチェスをプレイする子猫（kitten）の画像が生成されました。

　DALL·E2 の利用料金は 1 枚あたり $0.020です（解像度1024×1024の場合、2023年 6 月現在）。日本円でわずか 3 円弱でこの猫がチェスをする画像が生成できました。プロンプトを調整して、ある程度良い画像ができたら、そこから100枚程度生成しても300円です。

　得られた URL から画像をダウンロードして、奇跡の 1 枚を吟味するという流れになります。生成塗りつぶしや、類似画像を生成する API 等もあるので、興味があれば調べてください。

Code interpreter を使う

Use Code interpreter.

2023年 7 月 7 日、ChatGPT Code interpreter が公開されました。これ は ChatGPT の中でプログラムの実行やデータ分析、グラフの作成、ファ イルの編集などが行える機能です。interpreter とは通訳という意味ですが、 プログラミングの世界では与えられたプログラムを逐次実行するソフトウ ェアをさします。 すなわち、Code interpreter とはプログラムを実行す る環境を意味します。

Code interpreter を有効にするには、設定画面の Beta features から Code interpreter を有効にします。これは、プラグインや Bing ブラウザ の機能を有効にしたのと同じ流れです。

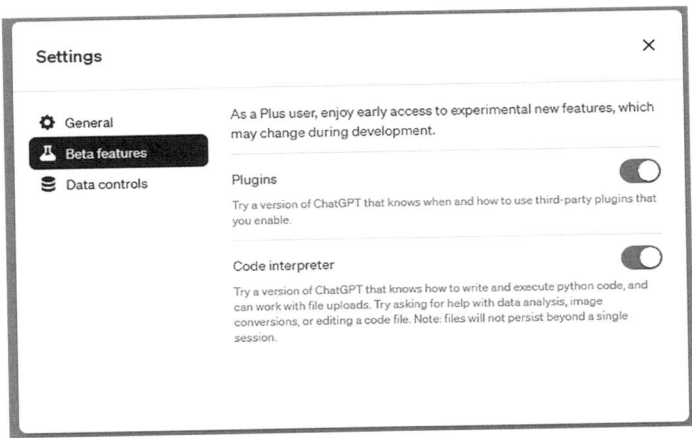

あとは GPT-4を選択した後に、Code Interpreter を選択することで利用 することができます。

 GPT-3.5  GPT-4

Our most capable model, great for tasks that require creativity and advanced reasoning.

Available exclusively to Plus users

 Default

 Code Interpreter Beta ✓

Plugins Beta

手始めにプログラミングの項目で登場していた、少し難しいプログラミングの事例を実行させてみましょう。

> このコードを実行してください。
>
> ```
> items = [" バナナ "," みかん "," かき "," パイナップル "," もも "," いちご "]
> items = list(filter(lambda item: len(item) > 2, items))
> print(items)
> ```

以下がコードの実行結果です：

['バナナ','みかん','パイナップル','いちご']

このコードは、アイテムのリストから、名前の長さが2文字より多いアイテムだけをフィルタリングしています。空白を除いた文字列の長さが基準となっています。その結果、「かき」と「もも」はフィルタリングされています。

ChatGPTはプログラムの解説をしてくれましたが、Code interpreterはそれにとどまらずプログラムを実行し、その実行結果を教えてくれました。

Code interpreterはファイルの入出力が可能ということなので、Excelファイルを生成してもらいましょう。単にExcelファイルを生成させてもつまらないので、プログラムからExcelファイルを生成させたうえで、それをダウンロードしてみましょう。

Pythonで Excel ファイルを生成し、適当な値を書き込んで、保存するコードを教えて。

Pythonで Excel ファイルを作成するには、`pandas`というライブラリと、それが依存している `openpyxl` を使用します。

以下にサンプルコードを示します。このコードはDataFrame を作成し、そのデータを Excel ファイルに書き込みます。

```python
import pandas as pd

# データフレームを作成します。
df = pd.DataFrame({
    'A': [1, 2, 3, 4, 5],
    'B': [5, 15, 25, 35, 45],
    'C': ['a', 'b', 'c', 'd', 'e']
```

```
)

# Excel ファイルに書き込みます。
df.to_excel('/mnt/data/sample.xlsx', index=False)
```

このコードは `/mnt/data/sample.xlsx` に Excel ファイル
を作成します。`index=False` とすることで、インデック
スが Excel ファイルに書き込まれるのを防いでいます。

このコードを実行して Excel ファイルを作成しますか？

Python から Excel ファイルを生成するコードが出力されました。勘が
いい人であれば、このプログラムを見た瞬間に、どうすれば自分が普段
Excel で行っている業務が自動化できるのかが思い浮かんだのではないで
しょうか。実行するか否かを聞かれているので、実行してみましょう。

 お願いします。

 Excel ファイルを作成しました。以下のリンクからダウン
ロードできます。

ダウンロード

（ChatGPT 上では実際に Excel ファイルをダウンロードすることができ
ます。）

プログラムが実行され、Excel ファイルがダウンロードできました。以
下は実際にダウンロードしたファイルを Excel で開いたものです。問題
なさそうですね。

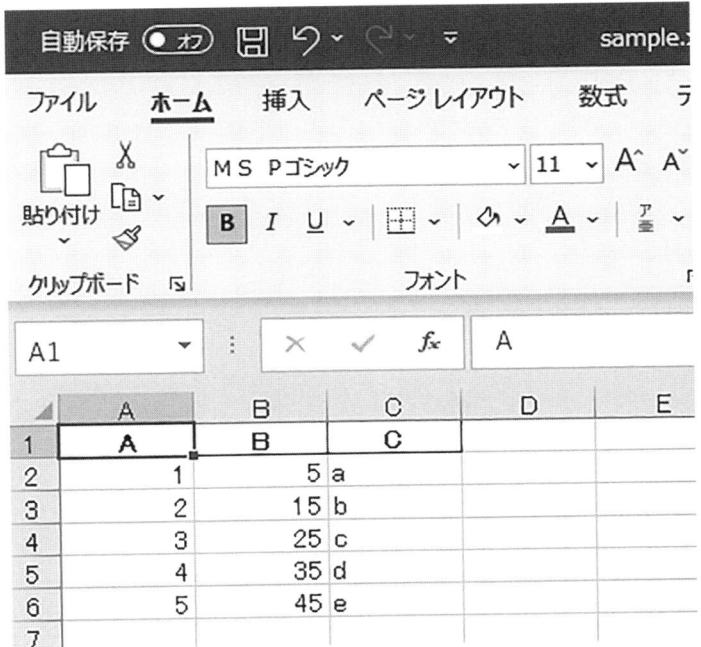

　現時点の Code interpreter は他のプラグインと連携できないため、プラグインを活用した複雑な動作ができないという問題がありますが、この課題は時間が解決してくれることでしょう。

　ちなみに、Code interpreter は、本書の校正をしている真っ最中に出たので、これ以上の検証はできませんでした。本書が出たころにはもっと多くの有益な利用の仕方が公開されているでしょう。ぜひとも検索「ChatGPT Code interpreter」で検索を行い、ユースケースを調べてください。

4 出力形式をコントロールする

Column.

　ChatGPT の出力が、自分の望むものでないことはよくあります。そこで、プロンプトを適切に制御することで、ChatGPT の出力フォーマットをコントロールしてみましょう。

列挙、リストアップ

　「10 個挙げて」や「10 個列挙して」と指示すると、出力結果が箇条書き形式の列挙になります。出力結果に様々なバリエーションが欲しい場合などに有効です。特にブレインストーミングのために様々なアイディアが欲しいといった場合に効果を発揮します。

職場の安全標語の案を 10 個挙げてください。
Z 世代にウケるようにしてください。

もちろんです、Z 世代の嗜好を考慮した職場の安全標語を以下に提案します。

1. 「安全第一、インスタ映え二番目」
2. 「ヘルメット未着用でスワイプ左」
3. 「安全対策で未来をデザインしよう」
4. 「リスクは選択肢ではない、安全なルートで Go!」
5. 「リアルライフでアンドゥはない、安全を守ろう」
6. 「危険無視はダサい、安全遵守はクール」
7. 「安全は最高のフィルター、現実の美しさを保つために」
8. 「われわれのミッションは？安全第一！」
9. 「プレイリストは変えられる、だけど命は一度きり」
10. 「危険はブロック、安全はフォローしよう」

これらのスローガンは Z 世代の一般的な嗜好、特にデジタルメディアとオンライン文化への理解を反映しています。

　ChatGPT はキレキレな案を出してきました。2 番目の「スワイプ左」はマッチングアプリのカルチャーを取り入れた案で、かなり切れ味が良くて好きです。一応解説しておくと、マッチングアプリの Tinder は異性の写真が出てきて、左右にスワイプすることで好意を相手に伝えます。この異性と会いたいと思ったら右スワイプ、スキップだと思ったら左スワイプです。つまり「スワイプ左」というのは、「ヘルメットを被ってない奴は魅力的ではない」という意味になるわけです。

ちなみに、英語の場合は「list up ～」などを利用すると同様の結果を得ることができます。

表形式

　「表にして」や「表形式にして」と指示すると、出力結果を表形式で得ることもできます。列挙した項目について、様々な軸から評価を行わせたい場合に有効です。ここでは、ご当地ヒーローを作らせてみましょう。

> 神奈川県の各市町村のオリジナルヒーローを10人創作し、そのヒーローの必殺技と、その効果を表にしてください。

> 了解しました。以下、神奈川県の各市町村から10箇所を選んでオリジナルヒーローとその必殺技を作成します。
>
> | 市町村 | ヒーロー名 | 必殺技 | 効果 |
> |---|---|---|---|
> | 横浜市 | ヨコハマ・ブルーオーシャン | マリン・スプラッシュ | 大津波を引き起こし、敵を圧倒的な水力で撃退する。 |
> | 川崎市 | カワサキ・スチールナイト | メタル・スピニング | 全身を鋼鉄に変え、高速回転して敵を切り裂く。 |
> | 相模原市 | サガミ・ネイチャーレンジャー | フォレスト・ハーモニー | 自然の力を借りて、自己の回復や敵の動きを遅らせる。 |
> | 鎌倉市 | カマクラ・スピリットサムライ | レジェンダリー・スラッシュ | 歴史の力を宿した一刀で敵を一瞬で切り倒す。 |
> | 神奈川区 | カナガワ・ロジックマスター | パズル・ロック | 敵の行動を数分間封じる。複雑な謎解きを強制させる。 |
> | 小田原市 | オダワラ・キャッスルガーディアン | フォートレス・シールド | 巨大な城壁で味方を守り、敵の攻撃を完全に防ぐ。 |
> | 横須賀市 | ヨコスカ・アンカーファイター | ディープ・アンカーパンチ | 巨大な錨を振り回して、敵を海底へと引きずり込む。 |
> | 藤沢市 | フジサワ・サーフライダー | ツナミ・サーフアタック | 高波を呼び起こし、敵を津波で飲み込む。 |
> | 箱根町 | ハコネ・ホットスプリングヒーロー | スチーム・バースト | 火山の力を利用し、高温の蒸気で敵を攻撃する。 |
> | 三浦市 | ミウラ・パールダイバー | アビス・パールボム | 深海から引き上げた真珠から強大なエネルギーを放出し、敵を撃退する。 |

ChatGPT Café

川崎の工業地帯や、鎌倉の歴史的建造物、小田原城、箱根温泉など、絶妙にご当地感のある良いヒーロー達ができ上がりました。表組を使うと、リストアップしたものに様々な属性を付与したり、物事を様々な面から評価したりすることができます。たとえば、ご当地ヒーローであれば、弱点や好きなもの、嫌いなもの、普段の職業、本名など、様々な設定を加えて出力させることができます。

　ちなみに、出力結果を右上のコピーボタンからコピーすると、Markdown というテキスト形式になります。Markdown はエンジニアが好んで使うマークアップ記法で、エンジニア界隈のサービスやブログで利用可能です。Markdown が利用可能な環境であるなら、こちらを使ってコピーしましょう。

　Excel に張り付けるのであれば、ウェブの側を範囲選択して、コピーして貼り付けると、そのまま表として持っていくことができます。

　英語で同様の結果を得たい場合「table up 〜」といった記述を行うと、同様の結果を得ることができます。

ChatGPT Café

JSON フォーマット、XML フォーマット

　プログラマーが ChatGPT を API 経由で利用する場合、プログラムから利用しやすい出力結果が欲しくなります。ChatGPT が普段出力するような自然言語をプログラムから解釈するには、自然言語処理が必要になり、何のために ChatGPT を使っているのか分からなくなります。こういったプログラミング用途の場合、「JSON 形式」や「XML 形式」での指示が有効です。

　JSON とは、JavaScript Object Notation の略で、元々は JavaScript におけるデータの記述方法でした。その後、使い勝手が良いため様々な言語が公式対応し、現在ではデータ構造のデファクトスタンダードになっています。

　XML は Web ページを作るために使われる HTML と似た言語です。HTML はウェブサイトを表現するための言語ですが、XML はデータ構造を表現するために使われます。XML は JSON がデファクトスタンダードになる前に普及していたデータ構造で、今でもたまに使われます。

　JSON 形式や XML 形式の場合、特に何も指定しないと様々なフォーマットで出力されるため、そのままではプログラムからの出力結果の再利用が困難です。そのため、うまくプロンプトを調整して、出力フォーマットを固定する必要があります。

　まずは、同じインプットであっても、Regenerate ボタンを押すたびに、バラバラのフォーマットで出力される例を見てみましょう。

北海道の架空のゆるキャラを 3 人作ってください。
JSON 形式で出力してください。

ChatGPT Café

了解しました。以下に北海道をモチーフにした3つの架空のゆるキャラをJSON形式でご提案いたします。

```json
[
  {
    "name": "ゆきんこベアー",
    "description": "北海道の豊富な自然と冬の寒さを表現したゆるキャラ。雪のように真っ白なベアーで、いつも冬服を着て、北海道産のおいしい魚を手に持っています。",
    "features": {
      "species": "白熊",
      "color": "白",
      "special_item": "魚"
    },
    "hometown": "北海道"
  },
  {
    "name": "メロメロぱんにゃ",
    "description": "北海道の名産品である美味しいメロンパンをモチーフにしたゆるキャラ。メロンパンの形をした愛らしいキャラクターで、目が大きくてキュートな笑顔が特徴。",
    "features": {
      "species": "メロンパン",
      "color": "黄緑",
      "special_item": "メロンパン"
    },
    "hometown": "北海道"
  },
  {
    "name": "さっぽろん",
    "description": "北海道の観光名所と冷涼な気候を象徴するゆるキャラ。冬の帽子とスカーフをまとい、道庁舎のミニチュアを手に持つ。頭上にはいつも雪の結晶が舞っています。",
    "features": {
      "species": "ペンギン",
      "color": "青",
      "special_item": "道庁舎のミニチュア"
    },
    "hometown": "札幌市"
  }
]
```

この3つのキャラクターは、北海道の自然、食、観光地をそれぞれ象徴しています。

ChatGPT Café

2回目の出力結果。

もちろん、お願いします。以下に3つの北海道の架空のゆるキャラを示します:

```
[
  {
    "name": " ほっかいどうの雪王子ゆきちゃん ",
    "description": " ほっかいどうの寒さと美しい雪を象徴する、雪王子ゆきちゃんです。彼の頭にはいつも雪の冠があり、体全体が白く、雪の結晶のような模様があります。特技は雪だるま作りとスキー！ ",
    "origin": " 北海道 ",
    "image_url": "http://example.com/yukichan.png"
  },
  {
    "name": " ラーメンライオンラーメンたろう ",
    "description": " 美味しいラーメンを広めるために生まれたラーメンライオンのラーメンたろう。頭にラーメンの麺を模した髪と、ラーメンボウル形のメインを持つ。おいしいラーメンを追求する彼の元気さと情熱は、北海道のラーメン愛を象徴しています。",
    "origin": " 北海道 ",
    "image_url": "http://example.com/ramen-taro.png"
  },
  {
    "name": " フラワーフォックスさくらちゃん ",
    "description": " 春の訪れを告げるさくらちゃんは、北海道の美しい自然と四季を象徴しています。彼女はキツネの形をしていますが、体全体が桜の花で覆われています。彼女の笑顔は北海道の美しい春を皆に思い出させます。",
    "origin": " 北海道 ",
    "image_url": "http://example.com/sakura-chan.png"
  }
]
```

以上のキャラクターは全て架空のもので、リンクは例示的なものです。それぞれのキャラクターについての詳しいデザインやバックストーリーは、さらに創造力を働かせていただければと思います。

ChatGPT Café

1 回目の出力は name, description, feature でした、2 回目は name,description, origin でした。このようにフォーマットが毎回バラバラでは、プログラムから利用することは困難です。また余計な説明文が付いているため、これもプログラムから利用するには邪魔になります。

そこで、思い出してほしいのは、GPT は「次の言葉を予測する AI」ということです。また、GPT は出力の例があると、それに従って出力してくれます。これを Few-shot-learning と呼びます。少数のデータからその場で学習するという意味です。

また、「説明文は出力しないでください。」という文言を付けることによって、JSON 以外の出力が行われないようになり、プログラムからの再利用が容易になります。

北海道の架空のゆるキャラを 3 人作ってください。
JSON 形式で出力してください。説明文は出力しないでください。
###

```json
[
  {
    "name": " アサヒカリン ",
    "origin": " 旭川市 ",
    "special_move": " アニマルパレード "
  }
]
```

```json
[
  {
    "name": " ユキノユー ",
    "origin": " 札幌市 ",
    "special_move": " 雪祭りダンス "
  },
  {
    "name": " ミソラタヌキ ",
    "origin": " 小樽市 ",
    "special_move": " 港町トリック "
  },
  {
    "name": " ラーメンライオン ",
    "origin": " 千歳市 ",
    "special_move": " ヌードルロア "
  }
]
```

ChatGPT Café

JSON 形式のサンプルを提示することで、うまく出力フォーマットを制御することに成功しました。例えば、このプロンプトをベースにして「北海道」となっている箇所を全国の都道府県の名前に置換して、プログラムから ChatGPT に何度も問い合わせることで、大量のご当地ヒーローとその必殺技を得ることができます。

　同じように XML 形式での出力も行ってみましょう。

北海道の架空のゆるキャラを 3 人作ってください。
XML 形式で出力してください。XML 以外の説明文は出力しないでください。
###
```
<HEROES>
  <HERO>
    <NAME> アサヒカリン </NEME>
    <ORIGIN> 旭川市 </ORIGIN>
    <SPECIAL_MOVE> アニマルパレード </SPECIAL_MOVE>
  </HERO>
</HEROES>
```

```
<HEROES>
  <HERO>
    <NAME> アサヒカリン </NAME>
    <ORIGIN> 旭川市 </ORIGIN>
    <SPECIAL_MOVE> アニマルパレード </SPECIAL_MOVE>
  </HERO>
  <HERO>
    <NAME> ユキノヨエ </NAME>
    <ORIGIN> 札幌市 </ORIGIN>
    <SPECIAL_MOVE> 雪原のホワイトアウト </SPECIAL_MOVE>
  </HERO>
  <HERO>
    <NAME> ラーメンタ </NAME>
    <ORIGIN> 函館市 </ORIGIN>
    <SPECIAL_MOVE> スープスピラル </SPECIAL_MOVE>
  </HERO>
</HEROES>
```

ChatGPT Café

XML 形式の場合は「説明文は出力しないでください。」と付けても説明文が出力されてしまったため、「XML 以外の説明文は出力しないでください。」という文言を付けて、XML 以外の出力を強く抑制しています。

このように、1 件の例示を行うと、Few-shot-learning により、以後の出力フォーマットをコントロールすることができます。これにより、一貫した複雑なデータ構造や、複雑な設定を持ったキャラクターを生成させることができます。

「white bear hero character. snow, cold, illustration.」で DALL·E2 で生成

ChatGPT Café

ChatGPT を使うときのコツとして、適切な抽象度の言葉を利用するということがあげられます。「適切な抽象度」という曖昧な言葉を使っていますが、そもそも抽象とは何でしょうか？　抽象化とは、対象からある特徴のみを取り出し、残りの要素を切り捨てることにあります。

S.I. ハヤカワ著『思考と行動における言語』（岩波書店、1985）という書籍で、抽象のハシゴという考え方が紹介されており、そこでは「牝牛ベッシー」が事例として紹介されています。この牝牛のベッシーについて考えることで、抽象化とは何かを考えてみましょう。

抽象のハシゴを昇る、適切な抽象度とは？

牝牛のベッシーは次のような抽象のハシゴになっています（上が抽象度が高く、下が抽象度が低い）。

● 富
● 資産
● 農場資産
● 家畜
● 牝牛
● ベッシー（として人間が認識したもの）
● 物質としての牝牛ベッシー

「ベッシー」は、ただ 1 匹の特定の牝牛を指しています。「牝牛」という言葉は様々な牝牛を含んでおり、その言葉には個別のベッシーとして認識するような要素を意図的に切り捨てています。「家畜」には牛以外にも鶏や豚などが含まれます。「農場資産」には家畜だけでなく厩舎やトラクターなどが組まれます。「資産」には農場資産だけでなく預金や住宅などが含まれます。「富」のレベルになると資産のほかに家族や人間関係など様々なポジティブなものの集合になってきます。

このような抽象のハシゴを作ってみると、「ChatGPT にどの抽象レベルで入力を行えばよいか？」ということが見えてきます。

農場主と銀行員が会話をしているとしましょう。農場主は「うちのベッシーが乳を出さなくなって困っているんだ」という話をしました。銀行員からしてみると、この話を聞いてどのように感じるのでしょうか？　銀行員には「ベッシー」がいったい何だか分かりません。牝牛かもしれませんし、家族の誰かのことかも

しれません。あるいは、農場で飼ってる犬や猫かもしれません。もしかしたら、哺乳瓶に付けられた名前が「ベッシー」なのかもしれません。農場主にとって「ベッシー」は自明のことであっても、第三者からしてみるとそれは自明ではありません。

　農場主は銀行員を相手にするならば「うちの牝牛が乳を出さなくなって困っているんだ」と言うべきでした。こう言えば銀行員は「売上が下がっているのか」「家畜から得られる富が減少しているのか」というように理解してくれます。農場主にとって「ベッシーが乳を出さなくなった」ということは大問題かもしれませんが、問題の本質は売上の低下です。売上の低下を伝えられるような抽象度で伝えなければ、相手は理解してくれないのです。

　ChatGPT に話しかけるときもこれと同じです。牝牛や家畜、農場資産、資産、富についての情報は、多くの文献に書かれており、ChatGPT はそれらをよく学んでいるでしょう。しかし、牝牛のベッシーは、名前を付けた農場主しか知らない事柄です。世の文献には登場しません。すなわち、牝牛のベッシーについて問い合わせても、価値ある情報は得られないのです。

　そこで、ChatGPT に問い合わせる際には、自身が考えている物事を適切な抽象度にする必要があります。たとえば、「牝牛ベッシーの体重は？」といった具体的な質問よりも、「一般的な牝牛の体重は？」といった抽象度の高い質問をすることで、より適切かつ詳細な情報を得ることができます。

　また、個別具体の事例について ChatGPT と相談したいのであれば、あらかじめ詳しく対象について説明した上で議論を始める必要があります。牝牛ベッシーはいつ生まれて、今何歳なのか、いくらで買ってきて、普段はどれくらい餌を食べるのか、その金額は毎月いくらで、どれくらいの乳を出して、どれくらいの売上があるのか。個別具体の事例について考えさせたい場合には、そういった情報を与えてあげる必要があります。

　とはいえ、ChatGPT に全ての情報を与えるということにはそもそも無理がありますし、実行しようとしても、途中で ChatGPT のトークン限界に到達してしまいます。また、ChatGPT は与えられた全ての情報を元に答えようとする傾向があるため、見当違いの答えを返します。ChatGPT を使う際に重要なことは、どのような答えが返ってきて欲しいかを想像し、回答に必要な情報のみを適切に抽象化して与えることです。

　実はこの「回答に必要な情報のみを適切に抽象化して与える」というのは極めて高度なスキルです。そして、このスキルを持つ人が優秀なビジネスパーソンだったりします。

ChatGPT Café

適切な抽象化は企業秘密を回避したうえで、良い解を得る

　ChatGPT を使う上での注意点の一つに、企業の秘密情報や個人情報の漏洩の問題があります。ChatGPT をウェブから使う場合、入力された情報は記録され ChatGPT の回答の精度を上げるための追加学習に使われます。そのため、将来、他の人が ChatGPT と対話を行った際に、あなたが入力した情報が利用され、流出する可能性があるのです。

　これについては、API 経由の利用や、オプトアウトの設定を行うことで、学習に使われることを回避することは可能ですが、これは本稿の趣旨ではないので割愛しましょう。

　とはいえ、適切な抽象化は企業秘密の回避の観点から重要です。優秀なビジネスパーソンは、自らが抱えている課題を適切に抽象化し、同業者や友人に企業秘密を明らかにすることなく相談し、そこから課題の解を得ています。これは、ある種のスキルです。

　たとえば、企業秘密の漏洩になってしまう質問例を考えてみましょう。「マンガアプリの開発をしているんだけど、読者がタップしやすいプッシュ通知を送るにはどのようなアプローチがある？」このような質問では、企業秘密は駄々漏れです。あなたの会社が次に何をやろうとしているのかすぐに分かってしまいます。

　優秀なビジネスパーソンは、このような問題を抽象化します。そうすると、オンライン広告の問題と等価だと気づくのです。そして、このような質問になります。「複数の広告を顧客ごとに出し分けて、最終的に良い広告が選択されるにはどのようなアルゴリズムが適しているか？」これであれば、一般論を聞いてるので、企業の機密情報は漏れていないのです。

　このような相談を友人に投げかければ、情報漏洩せずに有益な情報を得ることができます。分かっている友人であれば、何に携わっているのかを深く聞かず、さらに友人自身の会社の秘密を守ったうえで、世に公開されている事例の中から適切な情報を教えてくれるはずです。さらには複数の事例を抽象化して、共通している事項をも教えてくれるでしょう。

　優秀なビジネスパーソンは、課題の抽象化能力と、課題の相談に答えられる優秀な友人を持っているのです。そして、友人から受け取った抽象化された世界での回答を、自分が抱えている課題に適用することで問題を解決するのです。

　コンサルタントが効率的に物事を解決できる（そういうアドバイスができる）のは、このような「課題の抽象化」と、既存の事例との適合による「質問への回答」を一連の仕事として行う職業だからです。そして、あなたは、今ここに ChatGPT という優秀なコンサルタントの友人を手に入れました。これを生かすも殺すもあなた次第です。

ChatGPT は抽象化された問題の解は良く知っていますが、個別具体の事例は全く知りません。そのため、あなたは ChatGPT と協力し、問題を抽象化し、抽象化された世界での解を探し、そしてあなた自身が抱えている個別具体の問題に適合させる、という仕事をしなくてはならないのです。

「a cow with a ladder. line drawing.」で DALL·E2 で生成

ChatGPT Café

あとがき

　2023年4月、編集者のMさんから「ChatGPTの本を書かないか?」と連絡を受けました。この依頼については、ずいぶん逡巡しました。なぜならこれほど「火中の栗を拾う」という言葉がぴったりな状況は無いからです。

　毎日のようにChatGPTやLLMの新しいニュースが飛び交っています。そのため、執筆から発売までの時間差で、本の内容が陳腐化してしまうことが考えられます。1年後には何の価値もない本になっている可能性も高いのです。案の定、本書の校正中にChatGPT Code interpreterが出てきてしまい、校正の段階でChatGPTの機能解説としては、陳腐化が確定してしまいました。また、すでに4月時点でChatGPTの書籍はいくつか発売されており、本書の発売日までに多くの書籍が出版され、その中に埋もれてしまうことも懸念されました。

　そして私の稼働状況も悲惨を極めるものでした。自社のソフトウェア開発に加え、複数社のコンサルティングや新規事業開発支援を行っており、さらには企業での講演や研修講師など、休みがほとんどない状態でした。これに加え、本書とは別の書籍の執筆も抱えていました。

　市況と自身の稼働状況が最悪な状態で、そしてLLMの専門家でもない自分が、ChatGPTの本を書くべきか否かは大いに悩みました。そんな私が、本書を書くことの決断をすることとなったことには、行きつけの美容室のNさんの存在がありました。

私が散髪に行くたびに、美容師のNさんから、プログラミングやChatGPTの相談を持ちかけられ、私は髪を切られながらそれに答えるということを繰り返していたのです。そしてNさんは、ChatGPTに尋ねることによって、自身の副業の一部自動化を達成したことを話してくれました。Google App Scriptからウェブページを取得し、内容をスクレイピングし、Google Sheets上に自動的に記載することに成功したというのです。

　これは衝撃的でした。プログラミングが全くできない人であっても、ChatGPTによってプログラムを作成し、業務の自動化ができてしまったのです。これはいよいよChatGPTは本物だぞ、と思うようになったのです。そして、これがこの本の執筆に繋がっていきます。

　本書はAIに関する思想的な記事を多く入れることによって、陳腐化しにくいようにしています。エシカルデータの話や、LLMに相対する際の心構えなどは、あと数年は賞味期限があると思います。一方でChatGPTそのものに関する具体性の高い話は、来年には価値がなくなっているのではないかと思っています。

　ちなみに本書は、締め切りと紙面の関係上、いろいろと落とした話があります。概要だけここに貼って、書けなかった話の供養をしたいと思います。

●星新一の「肩の上の秘書」と「AIの遺伝子 Blue Age 6巻」を引き合いに出して、近い将来にLLMは、メガネや服と同じになる、付けてるのが当たり前で、付けていないと恥ずかしい、というレベルになる。つまり、LLMはパンツです。
● LLMが普及した近未来には、書籍というのはLLMが個人に合わせて要約して提供することが当たり前になる。そうすると、将来の書籍とはLLMに対する追加学習データセットとなる。LLMが理解しやすい本を書くのが著者の仕事であり、人間が理解しやすい本を書くのは優先度

が下がる。

● LLM を支配するものは言葉を支配し、認識を支配する。「1984」に登場する真理省は何をやっていたのか？あれは事実の改変ではなく、LLM の学習データセットのアノテーションだったのではないか？　LLM is watching you.

● ChatGPT でプログラムを出力させることのリスク、ソフトウェアライセンスの話、GitHub Copilot を使っとけ。

● ChatGPT の API の Function Calling の話。これは 6 月中旬に出たので、執筆が間に合いませんでした。あと初心者向けじゃないのでボツに。

●2023 年 7 月 4 日に文科省から出された「初等中等教育段階における生成 AI の利用に関する暫定的なガイドライン」の解説。ちなみに、これは本書のゲラの推敲中に出てきたので、時間切れで組み込むことはできませんでした。これはこれで面白いので、興味がある人は検索して読んでみてください。

本書もこれでおしまいです。なかなか執筆ができずスランプに陥っていた私のケツを叩き続けてくれた、編集の M さんに感謝いたします。 加えて、ICESTORM の事例を提供いただいた星一さん、レビューに参加してくれたインターネット秘密結社 Pyspa の皆さんに感謝いたします。 さて、これから別の書籍の編集者に土下座しに行ってきます。

2023 年 7 月某日 中山心太

ところてん aka 中山心太（なかやま・しんた）
株式会社NextInt代表取締役。電気通信大学大学院博士前期課程修了
後、旧NTT情報流通プラットフォーム研究所にて情報セキュリティ・
ビッグデータ関連の研究開発に従事。その後、統計分析、機械学習に
よるウェブサービスやソーシャルゲーム、ECサービスのデータ分析、
基盤開発、アーキテクチャ設計などを担当。2017年に株式会社
NextIntを創業し、機械学習に関するコンサルティングや、ゲームディ
レクター、グループウェア開発に携わる。近年は企業のDX化を支
援するためのコンサルティングや講演活動、社内研修、幹部向けプロ
グラミング教育に注力している。主な著書に『仕事ではじめる機械学
習』（オライリージャパン、共著）、『データサイエンティスト養成読
本　ビジネス活用編』（技術評論社、共著）がある。

<ruby>ちゃっとじーぴーてぃーこうりゃく</ruby>
ChatGPT攻略

2023年8月1日　初版発行

著者／ところてん

発行者／山下　直久

発行／株式会社KADOKAWA
〒102-8177　東京都千代田区富士見2-13-3
電話　0570-002-301(ナビダイヤル)

印刷所／図書印刷株式会社

製本所／図書印刷株式会社